Cuadernos de
gramática española

Más de 100 ejercicios para mejorar tu competencia gramatical y léxica

W0010236

Cuadernos de
gramática española

B1
MARCO COMÚN EUROPEO
DE REFERENCIA

Autores: Pilar Seijas, Bibiana Tonnelier, Sergio Troitiño
Coordinación pedagógica: Agustín Garmendia
Coordinación editorial y redacción: Ernesto Rodríguez
Corrección: Carolina Domínguez, Alba Vilches

Diseño de cubierta: Luis Luján, Eduard Sancho
Diseño del interior y maquetación: Enric Font
Ilustraciones: Martín Tognola, excepto pág. 90: Ernesto Rodríguez

Fotografías: pág. 7 Pierre-Yves Babelon/Dreamstime.com; pág. 21 Mark Brazier/Dreamstime.com; pág. 46 LA. Blasco/Flickr.com; pág. 71 Wikipedia; pág. 72 Sharon Kingston/Dreamstime.com; pág. 101 Zoran Skaljac/Dreamstime.com

Todas las fotografías de www.flickr.com están sujetas a una licencia de Creative Commons (Reconocimiento 2.0 y 3.0).

Grabación CD: Difusión

Locutores: Gema Ballesteros, Severine Battais, Iñaki Calvo, Enric Català, Oscar García, Agustín Garmendia, Pablo Garrido, Lucile Lacan, Luis Luján, Edith Moreno, Veronika Plainer, Ernesto Rodríguez, Eduard Sancho, Laia Sant, Lupe Torrejón

© Los autores y Difusión, Centro de Investigación y Publicaciones de Idiomas, S.L., Barcelona 2011
ISBN: 978-84-8443-476-4
Depósito legal: B-6817-2012
Impreso en España por Novoprint
Reimpresión: septiembre 2013

Queda prohibida cualquier forma de reproducción, distribución, comunicación pública y transformación de esta obra sin contar con autorización de los titulares de propiedad intelectual. La infracción de los derechos mencionados puede ser constitutiva de delito contra la propiedad intelectual (arts. 270 y ss. Código Penal).

difusión
Centro de
Investigación y
Publicaciones
de Idiomas, S. L

C/ Trafalgar, 10, entlo. 1ª
08010 Barcelona
Tel. (+34) 93 268 03 00
Fax (+34) 93 310 33 40
editorial@difusion.com

www.difusion.com

B1

MARCO COMÚN EUROPEO
DE REFERENCIA

Cuadernos de gramática española

Más de 100 ejercicios para mejorar tu competencia gramatical y léxica

Pilar Seijas
Bibiana Tonnelier
Sergio Troitiño

Cuadernos de
gramática
española

Hoy en día existe un amplio consenso sobre la importancia de la gramática en el proceso de aprendizaje de una lengua extranjera: casi todos los profesores y estudiantes comparten el principio según el cual la adquisición de una lengua requiere que los aprendientes presten atención a las formas.

Los enfoques orientados a la acción, en los que se inscriben los manuales publicados por nuestra editorial, han adoptado de manera decidida dicho principio y otorgan un papel destacado al estudio de la gramática, siempre desde una perspectiva comunicativa y que tiene en cuenta el significado.

El presente **Cuaderno de gramática** tiene como objetivo ayudar al desarrollo de las competencias lingüísticas del estudiante de nivel B1 –en especial las competencias léxica, gramatical y ortográfica–, a la vez que apoyar el avance en su competencia plurilingüe. Sus características son las siguientes:

IMPORTANCIA DEL SIGNIFICADO

Esta obra propone una comprensión y una práctica de la gramática basadas en el significado; es decir, que se procura que los estudiantes entiendan las implicaciones de utilizar una u otra forma. Además, los ejercicios destinados a la práctica de esas formas tienen en cuenta los contextos de uso y los diferentes tipos de texto en que se utilizan.

ADECUACIÓN AL MARCO COMÚN EUROPEO DE REFERENCIA Y A LOS NIVELES DE REFERENCIA DEL PLAN CURRICULAR DEL INSTITUTO CERVANTES

Su sílabo se ha diseñado teniendo en cuenta los descriptores del MCER para el nivel B1 y, muy especialmente, los exponentes del inventario de gramática de los niveles de referencia del Plan Curricular del Instituto Cervantes.

USO AUTÓNOMO O GUIADO

De manera autónoma, el aprendiente puede buscar en el índice el tema gramatical que desea estudiar, acceder a las explicaciones ofrecidas y practicar su uso mediante los ejercicios. Como herramienta de aprendizaje guiado, el profesor puede utilizar las explicaciones del *Cuaderno* para aclarar los puntos gramaticales en los que quiera hacer hincapié y recomendar la realización de los ejercicios que considere oportunos.

USO INDEPENDIENTE O VINCULADO A UN MANUAL

Este *Cuaderno* se puede utilizar para complementar los cursos de nivel B1 basados otros manuales, ya que está organizado según los temas gramaticales propios de los cursos de este nivel.

ATENCIÓN A LA ORALIDAD

Tradicionalmente, las obras de estas características no han incluido documentos auditivos. Aquí se ha considerado fundamental que los aprendientes estén expuestos a muestras de lengua oral y que comprendan las implicaciones que tienen algunos fenómenos gramaticales en dicha lengua. Así, cada unidad incluye uno o varios ejercicios de **comprensión auditiva** basados en los documentos auditivos del CD.

ATENCIÓN AL DESARROLLO DE ESTRATEGIAS

Bajo el epígrafe **ESTRATEGIA**, alumnos y profesores encontrarán en las unidades una o más notas en las que se hace una reflexión estratégica sobre el ejercicio realizado y se explica un recurso útil para aprender más y de manera más eficaz.

DESARROLLO DE LA COMPETENCIA PLURILINGÜE

En los ejercicios llamados **MUNDO PLURILINGÜE** se ofrece al alumno la posibilidad de comparar la lengua que está estudiando con otra u otras que conozca, de manera que pueda observar y sistematizar las posibles semejanzas y diferencias.

ESTRUCTURA CLARA Y OPERATIVA

Cada unidad contiene uno o varios cuadros con la exposición del tema gramatical abordado, seguidos de una serie de ejercicios relacionados con dicha explicación.

Además, este volumen ofrece un **GLOSARIO** de términos gramaticales, las **TRANSCRIPCIONES** de los ejercicios de comprensión auditiva y las **SOLUCIONES**.

Índice

Las mayúsculas

▶▶ En español, las letras mayúsculas se utilizan al inicio de un texto o de un párrafo y después de un punto y seguido. También se escribe con mayúscula después de los puntos suspensivos (cuando estos finalizan una frase).

> *La primera gran novela en español es Don Quijote. Su primera parte se publicó en 1605 y la segunda, en 1615.*

> *Cervantes escribió novelas, relatos, obras de teatro, poesía... En todos los géneros creó obras de gran calidad.*

❗ **Atención:** después de dos puntos que introducen una cita también se usan las mayúsculas.

> *Don Quijote empieza con la frase: "En un lugar de la Mancha...".*

▶▶ También se usan las mayúsculas en las siglas y en algunos acrónimos.

> *DNI (Documento Nacional de Identidad), UE (Unión Europea), SA (sociedad anónima).*

Y en algunas abreviaturas: **Ud.** / **Uds.** (usted /ustedes), **Sr.** / **Sra.** / **Sres.** / **Sras.** (señor / señora / señores / señoras), **D.** (don), etc.

▶▶ Se usan mayúsculas en los nombres propios de personas, animales y cosas (marcas, empresas, instituciones, festividades, etc.).

> *Beatriz López, Laika, Aeroméxico, Navidad, Federación Española de Fútbol, Año Nuevo, etc.*

❗ **Atención:** no se usan en los nombres de los días de la semana, de los meses, ni en los sustantivos en general. Tampoco con los adjetivos o sustantivos de procedencia ni con los idiomas.

> *El miércoles hago un intercambio: yo hablo español con François, un amigo mío que es belga, y él habla francés conmigo.*

1 UN ERROR MAYÚSCULO

Marca qué letras deben ir en mayúscula en las frases siguientes.

1. el próximo jueves es navidad y, además, es el cumpleaños de mi tío ramón.

2. el 3 de febrero se publicará la primera novela de juan antonio pérez sánchez: la vida secreta de caroline en barcelona. trata de una estadounidense que da clases de inglés en barcelona.

3. este martes la asociación española de psiquiatría ha visitado la sede de la ue en bruselas, bélgica.

4. mi hermana arantxa me dijo ayer: "tienes que ir a chile, santiago es una ciudad fantástica y valparaíso, también. además, los chilenos son muy simpáticos".

5. ¿sabe ud. dónde para el autobús para sevilla? creo que es de la compañía hispalense sa.

6. este jueves hablé con d. javier y me dijo: "¿por qué no te apuntas a la federación madrileña de alpinismo? organizan salidas todos los fines de semana y campamentos en julio y agosto."

7. en semana santa vamos a ir a bilbao, queremos visitar a mis primos begoña y aitor y aprovechar para ir al guggenheim.

8. compré estas gafas en una óptica que se llama opticentro, en málaga.

9. fabián ha viajado por toda américa del sur: chile, venezuela, argentina, brasil... ¿tú sabías que era tan viajero?

10. parece que marcos se ha dejado el dni en casa y no ha podido hacer el examen. ¡qué desastre!

Signos de puntuación: el punto (.)

Los signos de puntuación se usan para facilitar la comprensión de la lengua escrita, para indicar la entonación de las palabras y las frases y para dividir los textos en unidades de significado (grupos de palabras, frases, párrafos, etc.).

El punto (.) representa una pausa larga en la lectura y sirve para indicar el final de frases (punto y seguido), párrafos (punto y aparte) y textos (punto final).

Hola, Andrés:
¿Qué tal? Ya hemos llegado a Caracas. (punto y seguido) Hace muy buen tiempo, pero no demasiado calor; un tiempo perfecto para hacer turismo. (punto y aparte)

Ya hemos hablado con tu hermano. Vendrá mañana a buscarnos al hotel y nos llevará a un lugar que se llama Chichiribichi, que parece que es precioso. (punto y aparte)

De momento, no tenemos nada más que contarte, pero pronto empezaremos a enviaros fotos. (punto y aparte)

Un abrazo desde Caracas. (punto final)

Felipe

Atención: en español todos los signos de puntuación se escriben junto a la palabra anterior y separados de la palabra siguiente por un espacio.

El punto se usa además...
En algunas abreviaturas:

etc. (etcétera), *máx.* (máximo), *mín.* (mínimo), *p.* (página), *tel.* (teléfono), etc.

En la expresión de la hora, separando horas y minutos. En este caso también se pueden usar los dos puntos.

Son las 4.23 = 4:23 (4 horas, 23 minutos).

Signos de puntuación: la coma (,)

Representa una pausa corta en la lectura y sirve para separar palabras, grupos de palabras y frases coordinadas.

Se usa para separar palabras o frases en enumeraciones (excepto en el último elemento, que puede ir introducido con un conector como **y/e**, **o/u**).

Llego a casa, me ducho, ceno y veo la tele.

De primero tenemos sopa, ensalada, macarrones o guisantes.

Para introducir una aclaración o explicación.

*El cine, **especialmente el de aventuras**, tiene mucho éxito entre los jóvenes.*

*El clima de mi país, **que era muy frío en invierno**, está cambiando en los últimos años.*

Para separar palabras que se refieren a nuestro interlocutor, al orden y al significado del discurso.

***Oye, Javier**, tengo algo que decirte.*

*Juan me ha dicho que está muy ocupado, **vaya**, que no va a venir.*

*Vive muy bien, **sin embargo**, no parece nada feliz.*

En lugar de un verbo cuando no es necesario mencionarlo o repetirlo.

Las camisas van en el armario y los calcetines, en el cajón.

Antes de los conectores **pero**, **aunque** y equivalentes, y después de los fragmentos de frase que se ponen destacados al principio de la frase.

*Está muy cansado, **pero** quiere salir.*

***Los libros**, déjalos encima de esa mesa.*

***Cuando llegues**, llámame.*

Con los números decimales (sin espacio). Esta coma se "lee": **1,6= uno coma seis.**

*Los beneficios de la empresa han sido de **2,3** millones de euros. (dos coma tres).*

2 COMAS IMPORTANTES

A. Escucha los siguientes pares de frases y escribe las comas necesarias.

1/4

1. Alberto ☐ come más,

2. Alberto ☐ come más...

3. La única novela de Matamala ☐ publicada en formato electrónico ☐ es buenísima.

4. La única novela de Matamala ☐ publicada en formato electrónico ☐ es buenísima.

5. ¿Dónde estuvo ayer ☐ Felisa?

6. ¿Dónde estuvo ayer ☐ Felisa?

7. No ☐ vendrá hoy.

8. No ☐ vendrá hoy.

B. Después, decide cuál es la continuación o la explicación (entre paréntesis) más adecuada para cada una de ellas.

.... **a.** desde que hace deporte.

.... **b.** ¿o no está bueno el cocido?

.... **c.** (Matamala ha escrito otras novelas.)

.... **d.** (Matamala no ha escrito otras novelas.)

.... **e.** ¿No vino usted aquí?

.... **f.** No la vi en todo el día.

.... **g.** Ayer no pudo venir.

.... **h.** Está enfermo y no puede salir de casa.

Signos de puntuación: dos puntos (:)

Este signo indica una pausa más larga que la coma y más corta que el punto y se usa para llamar la atención sobre lo que sigue.

⏩ Lo usamos para presentar enumeraciones.

> *Tengo que comprarme varios libros: un diccionario, una gramática y el libro para clase.*

⏩ Para introducir ejemplos, explicaciones, reformulaciones, conclusiones (con o sin fórmula de introducción: **por ejemplo, o sea, en conclusión**, etc.).

> EJEMPLO: *A veces Lolo hace cosas raras (,* **por ejemplo***): hoy ha venido a clase con chanclas y sombrero.*

> REFORMULACIÓN: *Dedica mucho tiempo a la gente (,* **o sea***): le gusta ayudar a los demás.*

> CONCLUSIÓN: *Los camareros son antipáticos, la comida es mala y el menú caro (,* **en conclusión***): no es un lugar recomendable.*

⏩ Para reproducir las palabras exactas de otra persona, que normalmente van entre comillas y empiezan con letra mayúscula.

> *Hay que ser optimista, como dice mi profesor: «A mal tiempo, buena cara».*

⏩ Después de la fórmula de saludo en correos electrónicos, cartas y otros documentos. La palabra siguiente se escribe en un párrafo aparte y empieza con mayúscula.

> *Querida Milagros:*
> *Llevo seis día aquí. Te echo de menos y...*

3 HOLA, PEDRO

En cada una de las siguientes frases se pueden colocar dos puntos (:). Atención: en algunos casos se deben colocar sustituyendo a una coma o un punto.

a. Para conservar bien esta camisa, hay algo que no debes hacer, lavarla en agua caliente.

b. Hola, Pedro.
Gracias por el regalo. Me ha gustado mucho...

c. Mi abuelo siempre decía "Vísteme despacio que tengo prisa".

d. Los ingredientes son los siguientes, ½ calabaza, 5 zanahorias, crema de leche y sal.

e. Me encantan los detalles románticos, un ramo de flores, una cena con velas o un pequeño regalo inesperado.

Signos de puntuación: el punto y coma (;), los puntos suspensivos (...), las comillas (" ") y los paréntesis ( )

▶▶ El punto y coma indica una pausa más larga que la coma y más corta que el punto y se puede usar con valor de coma o con valor de punto, en textos con un estilo muy elaborado. Se usa con valor de coma para separar oraciones que tienen en su interior una coma.

> *En mi viaje por España pasé por Granada, una ciudad misteriosa y romántica; por Salamanca, alegre y llena de estudiantes; por Sevilla...*

Se usa también con valor de punto para unir dos frases haciendo una pausa más corta que el punto, especialmente si van unidas por conectores como **sin embargo, por tanto, no obstante, aunque**.

> *Es difícil hacer las cosas bien a la primera; **sin embargo**, vale la pena intentarlo.*

▶▶ Los puntos suspensivos se usan para indicar una interrupción del discurso (sin entonación descendente) que refleja que el hablante no puede continuar o no lo considera necesario. Pueden también representar el estado de ánimo de la persona que habla (duda, miedo, etc.) o que lo que se dice es ya suficientemente conocido por la persona que escucha o lee.

> *No sé si ir o si no ir... No sé qué hacer.*

> *Te llaman del hospital... Espero que sean buenas noticias.*

> *Fue una situación muy desagradable... Pero prefiero no hablar de ello.*

> Quería preguntarte... No sé..., bueno..., que si quieres ir conmigo a la fiesta.

Se usan en enumeraciones para expresar que es posible añadir más elementos, con el mismo valor que la palabra **etcétera**.

> *Puedes hacer lo que quieras: leer, ver la tele, escuchar música...*

🔟 diez

▶▶ **Atención:** los puntos suspensivos son incompatibles con la expresión **etcétera** (o **etc.**).

> **Puedes hacer de todo: leer, ver la tele, oír música..., ~~etc.~~*

> *~~*Puedes hacer de todo: leer, ver la tele, oír música, etcétera...~~*

▶▶ Las comillas (" " ' ' « ») se usan para indicar que una palabra, grupo de palabras o frase tiene un valor especial. Se usan sobre todo para reproducir exactamente las palabras de otra persona.

> *Picasso dijo en una ocasión: "Yo no busco, encuentro".*

▶▶ Para indicar que una palabra o expresión es incorrecta, vulgar, extranjera o tiene un sentido especial o irónico.

> *Mi hermano pequeño dice "poblemas".*

> *Para mí lo peor de viajar es el "jet lag".*

> *Llegué tarde a clase y el profesor me dijo con ironía: "¡Pero qué 'temprano'* llega usted hoy!"*
> (*Dentro de un fragmento en el que ya se usan comillas, se usan las comillas simples.)

▶▶ Para referirnos a una palabra sobre la que queremos decir algo usamos " " y para decir su significado usamos ' '.

> *En muchos países de Latinoamérica la palabra "plata" significa 'dinero'.*

▶▶ Los paréntesis ( ) se usan para añadir aclaraciones o información complementaria.

> *En España, la comida del mediodía (el almuerzo) es la más importante.*

ℹ **Atención:** los paréntesis y las comillas se escriben pegados a las palabras que quedan dentro de ellos, pero separados por un espacio de las palabras que quedan fuera, excepto cuando hay un signo de puntuación después del paréntesis o la comilla de cierre.

> *¿Qué significa "Ande yo caliente, ríase la gente"?*

> *En español la comida del mediodía se llama "almuerzo" (excepto en algunos lugares de España, donde se usa la palabra "comida").*

4 PUNTOS... DE VISTA

A. Decide en qué lugar de las frases siguientes podrías colocar un punto y coma **;** . Atención: en algunos casos se deben colocar sustituyendo a otro signo.

1. Tenía una casa preciosa en la Costa Brava sin embargo no iba casi nunca.

2. Las casas de la derecha son del siglo XX, las de la izquierda, del XIX.

3. Hemos hecho el trabajo cuidadosamente y siguiendo las instrucciones, no obstante, no lo han aceptado.

4. En la fábrica, las mujeres limpiaban el pescado y lo cortaban, los hombres eran los encargados de transportar las conservas y conducir los camiones.

5. Las ciudades del interior de la región son más antiguas y señoriales, las de la costa, más modernas y abiertas.

6. Tendremos una semana de descanso. Por tanto, podremos pintar la casa nosotros mismos.

> Podremos pintar la casa nosotros mismos.

B. Lee las siguientes frases y decide en qué lugar se pueden colocar comillas **" " ' '**. Atención: en algunos casos se deben poner sustituyendo a otro signo.

1. Está mañana Petra ha dicho: Eso son margaritas para los cerdos. ¿Qué quería decir?

2. Se ha confundido y en vez de decir fragante ha dicho flagrante.

3. ¿Qué quiere decir zarrapastroso?

4. En el contexto en que lo ha dicho, fantasma significa fanfarrón.

5. ¿Quién dijo Carthago delenda est?

6. Este fin de semana quieren hacer rafting, pero a mí me apetece más hacer canyoning, es decir, barranquismo.

C. Lee las siguientes frases y decide en qué lugar se pueden colocar paréntesis **( )** . Atención: en algunos casos se deben poner sustituyendo a otro signo.

1. Esa faja llamada "gerriko" es típica de varios trajes vascos.

2. El real, la moneda de Brasil, goza de muy buena salud en este momento.

3. Las pochas, alubias frescas, son típicas de Navarra y otros lugares.

4. Su jefe, que es cuñado del director general, no es muy capaz.

5. La mesa del despacho, heredada de su abuelo, era feísima.

6. Su perro de raza, un podenco ibicenco, es precioso y muy cariñoso.

5 OFERTA DE TRABAJO

A. Por culpa de un problema técnico, el siguiente correo electrónico no tiene mayúsculas, espacios entre párrafos ni puntuación. Léelo con atención y responde a las preguntas.

1. Este correo electrónico es la respuesta a...

☐ un anuncio de empleo publicado en Internet.

☐ un correo electrónico anterior.

☐ un anuncio de empleo publicado en un periódico.

2. El autor del mensaje...

☐ señala problemas y propone soluciones.

☐ señala problemas.

☐ propone soluciones.

3. El mensaje tiene:

☐ dos párrafos.

☐ entre tres y cuatro párrafos.

☐ más de cinco párrafos.

B. Reescribe el texto usando mayúsculas, puntos seguidos, puntos y aparte, un punto final, comas, dos puntos, puntos suspensivos, comillas y paréntesis donde sean necesarios.

estimados señores les escribo para responder a su anuncio publicado en el diario el globo núm ref 257003 para exponerles mis observaciones sobre su web ventaonline y ofrecerles mis servicios para mejorarla en primer lugar me gustaría decir que los productos que ofrecen son de gran calidad y tienen un gran potencial en nuestro país sin embargo estoy de acuerdo con ustedes en que es necesario que mejoren el diseño de su web para aumentar sus ventas en segundo lugar deseo llamar su atención sobre los siguientes problemas que he detectado la distribución de la información es confusa la sección para realizar compras es difícil de encontrar y los datos de tarjeta de crédito de los compradores no se manejan de manera suficientemente segura por todo lo anterior estaría encantado de presentarles mi propuesta para modificar su web creo que puedo mejorar su imagen su estructura su facilidad de uso la seguridad general de los datos de los usuarios introducir varias keywords para facilitar la búsqueda en internet para finalizar solo decirles que estaré encantado de colaborar con ustedes en el caso de que deseen considerar mi propuesta a la espera de sus noticias reciban un cordial saludo esteban vico suárez
av américa 1275
20039 madrid
tel 9184268823
evicosuarez@correitos.dif0

MUNDO PLURILINGÜE

Observa cómo funcionan las mayúsculas y los signos de puntuación en las frases. ¿Funcionan igual en tu lengua y en otras que conozcas? ¿Cuáles son las diferencias?

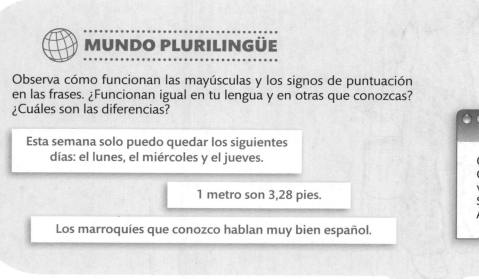

Esta semana solo puedo quedar los siguientes días: el lunes, el miércoles y el jueves.

1 metro son 3,28 pies.

Los marroquíes que conozco hablan muy bien español.

¡Hola!

Querido Luis:
Gracias por tu mensaje. Nos vemos la semana que viene.
Saludos,
Amparo

您好！

مرحبا

Valor general de los adjetivos

Los adjetivos complementan a los sustantivos y concuerdan con estos en género (femenino o masculino) y número (singular o plural). Pueden estar relacionados con los sustantivos mediante verbos como **ser**, **estar** o **parecer**, o estar directamente junto a ellos. Además de otras funciones, se usan para precisar el significado de los sustantivos, destacar sus características o valorarlos.

> ● *¿Y bien? Dígame, ¿se trata de un* <u>problema</u> **personal** *o* **profesional**?
> ○ **Personal**. *Mejor hablamos en privado.*
> (precisamos)

> ● *¿Qué te vas a poner hoy?*
> ○ *¿Esta noche? La* <u>camisa</u> **blanca**. (destacamos una característica)

> ● *Mario, es un genio de la cocina. Sus* <u>platos</u> *son* **deliciosos**. (valoramos)

¿Me pongo la azul o la amarilla?

1 PARES DE ADJETIVOS

En ciertos contextos, algunos adjetivos funcionan en pares. A veces son antónimos, a veces son las dos opciones posibles y a veces forman un par "típico". Completa las frases con el adjetivo correspondiente, haciéndolos concordar en género y número.

entero	minúsculo	simple	rubio
negro	fuerte	cristalino	impar
salvo	moreno	famoso	maduro
flaco	largo	blanco	usado

1. ¿El portal donde vive es un número par o *impar*?

2. ¿Este tabaco es negro o ....?

3. ¿Lo escribo en letras mayúsculas o ....?

4. ¿Qué hombres te atraen más: los rubios o los ....?

5. ¿Qué leche compras: .... o desnatada?

6. ¿Qué me pongo: manga corta o manga ....?

7. De la fuente salía un agua limpia y ....

8. Es un gran amigo, está siempre a mi lado: a las duras y a las ....

9. Esa es la pura y .... verdad: nos hemos quedado sin dinero.

10. Este programa es una idiotez: solo hablan de la gente rica y ....

11. Han encontrado a los montañistas sanos y ....

12. Las cosas no son o blancas o ....: hay matices.

13. Para tener un cabello sano y .... es necesario alimentarse bien.

14. Tras un tiempo de vacas gordas viene uno de vacas ....

15. Vendemos coches nuevos y ....

16. ¿Prefieres jugar con las fichas .... o con las negras?

Adjetivos que van siempre después del sustantivo

➤➤ En español los adjetivos se colocan normalmente después de los sustantivos. Sin embargo, algunos adjetivos, en determinados casos, pueden ir situados antes.

➤➤ Siempre se colocan después del sustantivo los adjetivos de clase; es decir, aquellos que concretan el significado del sustantivo precisando la clase de sustantivo a la que se refieren (como **familiar**, **telefónico**, **mundial**, **periodístico**, **personal**, **eléctrico**, etc.).

> *Por favor, durante el vuelo mantengan apagados sus teléfonos* **móviles** *y cualquier otro tipo de aparato* **electrónico**.

> ● *Aquí dice que el uniforme es de uso* **personal***. ¿Y eso qué significa?*
> ○ *Pues que solo lo puedes usar tú, ¿no?*

🔔 **Atención:** este valor de clase es incompatible con los cuantificadores (**muy**, **bastante**, **poco**…), con las estructuras comparativas y, en general, después de verbos como **estar**.

> ~~*Este vehículo es muy eléctrico.*~~

➤➤ También se colocan siempre después del sustantivo los adjetivos de origen o procedencia.

> ● *El Gaucho es un restaurante de* <u>comida</u> **argentina**, *¿no?*
> ○ *No, sirven* <u>especialidades</u> **uruguayas** *y también algunos* <u>platos</u> **españoles**.

➤➤ Los adjetivos de color y forma, como **azul**, **gris**, **anaranjado**, **cuadrado**, **circular**, **recto**, etc.

> *Para ir en metro hasta el centro puedes coger la* <u>línea</u> **verde** *o la* **azul**.

> *Fabricamos* <u>balones</u> **esféricos** *para fútbol y baloncesto y* <u>pelotas</u> **ovaladas** *de rugby*.

➤➤ Los participios con valor de adjetivo, como **terminado**, **cerrado**, **abierto**, **desconectado**, **escrito**, **casado**, **roto**, etc. También los adjetivos de estado como resultado de un proceso (como **contento**, **enfermo**, **lleno**, **vacío**, etc.).

> *Anoche tuve una pesadilla: soñé que estaba en una casa* **vacía** *con la* <u>puerta</u> **cerrada**.

> *Con la epidemia de gripe hay muchas* <u>personas</u> **enfermas** *y varios servicios de* <u>urgencias</u> **colapsados**.

2 SÍ, PERO

A. Completa las frases con el adjetivo que te parezca más lógico, haciéndolo concordar en género y número.

público	abierto	fijo	soltero
azul	oriental	agrícola	familiar
roto	español	frito	solar
eléctrico	olímpico	armado	

1. Aquí hay escuelas privadas muy buenas, pero también hay escuelas *públicas* excelentes.

2. Has cerrado las puertas, pero has dejado las ventanas *abiertas*.

3. Me has dado tu teléfono ...., pero yo quería el móvil.

4. Entre mis amigos hay muchas mujeres casadas, pero muchos hombres *solteros*, es extraño, ¿no?

5. Conozco bien el País Vasco francés, pero muy poco el País Vasco ....

6. Muchas personas llevaban pistola, me sorprendió ver tanta gente *armadas*.

7. Ha hecho muchos días grises últimamente, pero hoy tenemos un precioso cielo *azul*.

8. Se puede decir que hay dos grandes variedades del habla andaluza: el andaluz .... y el occidental.

9. El edificio está diseñado para aprovechar la luz .... y gastar muy poca energía ....

10. Cuando entré en la habitación, había cristales .... en el suelo, por eso me corté.

11. En las olimpiadas ganó la medalla de oro; o sea que es campeona ....

12. Paula nunca viene a casa de mi madre, no le gustan las reuniones ....

13. Aquí cultivamos la viña y el olivo, es una región ....

14. Me gustan más las patatas _Fritas_ .... que las cocidas, pero claro, tienen mucho aceite.

B. ¿Qué otras colocaciones te parecen "típicas" para esos mismos sustantivos?

1. escuela pública, privada, primaria, secundaria, infantil...
2. teléfono ....
3. cielo ....
4. luz ....
5. energía ....
6. campeón ....
7. reunión ....
8. región ....
9. patata ....

3 CLASES Y GÉNEROS

Completa las definiciones con el adjetivo adecuado, haciéndolo concordar en género y número.

| diario | gratuito | rosa | económico | escrito |

La prensa .... es aquella que se publica impresa.
.... es la que informa sobre las celebridades y su vida.
.... es la que se interesa por la Economía.
.... es la se publica todos los días.
.... es que aquella se distribuye gratuitamente.

| rosa | satírico | histórico | autobiográfico | negro |

La novela .... se centra en las aventuras, normalmente muy convencionales, de dos enamorados.
.... relata la vida del propio autor.
.... es un tipo de novela humorística.
.... es la que trata del mundo del crimen.
.... es la que tiene como objetivo reflejar un cierto período de la Historia.

Adjetivos que pueden ir antes o después del sustantivo

Los adjetivos de valoración, que usamos para expresar opiniones y valoraciones de los sustantivos que acompañan (como **bueno, estupendo, feo, divertido, misterioso, magnífico,** etc.), pueden ir delante o después de dicho sustantivo.

> *Te voy a dejar una <u>novela</u> **estupenda** de Almudena Grandes.*

> *Vamos a hablarles de una **estupenda** <u>novela</u> de Almudena Grandes.*

También pueden ir delante o después del sustantivo los adjetivos de descripción física (excepto los de color y forma), como **ancho, bajo, fuerte, corto, joven, frío, pequeño, duro,** etc.

> *Hay una **pequeña** <u>sala</u> para reuniones en el segundo piso.*

> *Tenemos dos <u>salas</u> **pequeñas** y una grande.*

Cuando colocamos el adjetivo después del sustantivo, estamos limitando la cantidad posible de objetos a la que se puede referir ese sustantivo.

> *La ciudad está bien, pero los <u>barrios</u> **viejos** están bastante sucios y mal cuidados.*
> (el adjetivo aquí indica que nos referimos en particular a los barrios viejos en oposición a los que no lo son)

Cuando colocamos el adjetivo antes del sustantivo, destacamos una característica de dicho sustantivo. Este uso se encuentra sobre todo en la lengua escrita; en la lengua oral es frecuente solo en situaciones formales, pero no en la lengua oral espontánea.

> *Visite los **entrañables** <u>cafés</u> de la plaza Mayor y pruebe las **deliciosas** <u>especialidades</u> de las pastelerías.*
> (los adjetivos aquí permiten destacar cómo son los cafés y las especialidades a las que nos referimos)

---

4 LECTORES EXIGENTES Y EXIGENTES LECTORES

Los siguientes pares de frases son titulares de prensa. Decide cuál es la continuación o la explicación (entre paréntesis) más adecuada para cada una de ellas.

Tecnología

1. El Estado dará apoyo económico a los **jóvenes** <u>investigadores</u> que desarrollan proyectos sobre energías alternativas.

2. El Estado dará apoyo económico a los <u>investigadores</u> **jóvenes** que desarrollan proyectos sobre energías alternativas.

   ○ **a.** Solamente recibirán ayudas los investigadores menores de 28 años.

   ○ **b.** Solamente han pedido ayudas investigadores menores de 28 años.

Espectáculos

3. El público que asistió al Concierto Solidario aplaudió las **reivindicativas** <u>canciones</u> de Pepe Morando.

4. El público que asistió al Concierto Solidario aplaudió las <u>canciones</u> **reivindicativas** de Pepe Morando.

   ○ **c.** Los espectadores vibraron con todas las canciones del cantautor.

   ○ **d.** Los espectadores vibraron sobre todo con las canciones protesta.

Cultura

5. El escritor declaró: "Creo que esta novela será muy apreciada por mis **exigentes** <u>lectores</u>.»

6. El escritor declaró: "Creo que esta novela será muy apreciada por mis <u>lectores</u> **exigentes**.»

   ○ **e.** (Ha escrito pensando en satisfacer a todos sus lectores.)

   ○ **f.** (En esta ocasión, ha escrito pensando en una parte de sus lectores habituales.)

Arte

7. La exposición mostrará las <u>pinturas</u> **desconocidas** del poeta Roque Guasch.

8. La exposición mostrará las **desconocidas** <u>pinturas</u> del poeta Roque Guasch.

   ○ **g.** Roque Guasch no es muy conocido como pintor.

   ○ **h.** Una parte de las pinturas de Roque Guasch no se ha expuesto nunca.

Adjetivos que cambian de significado cuando van antes del sustantivo

▶▶ Hay algunos adjetivos (como **viejo, grande, bueno, simple, cierto, diferente, medio, solo, único**, etc.) que pueden tomar un significado diferente del habitual cuando van antepuestos.

> *un país* **pobre** [sin recursos económicos] ≠ *un* **pobre** *país* [secundario, desafortunado]

> *un padre* **bueno*/malo*** [bondadoso/malvado como persona] ≠ *un* **buen/mal** *padre* [competente/incompetente como padre]

> *salario* **medio** [normal, estándar] ≠ **medio** *salario* [la mitad]

> *una amiga* **vieja**. [anciana] ≠ *una* **vieja** *amiga* [de hace tiempo]

> *una pregunta* **simple** [sencilla] ≠ *una* **simple** *pregunta* [nada más que una pregunta]

> *una persona* **sola** [sin compañía] ≠ *una* **sola** *persona* [solamente una persona]

> *temas* **diferentes** [que tienen diferencias] ≠ **diferentes** *temas* [varios temas]

> *una importancia* **cierta** [comprobada, real] ≠ *una* **cierta** *importancia* [considerable, pero relativa]

> *un día* **único** [irrepetible, extraordinario] ≠ *un* **único** *día* [solo uno]

▶▶ Los adjetivos **grande** y **pequeño** cuando van antes de un sustantivo pueden indicar el tamaño pero en algunas ocasiones pueden significar grande y pequeño en importancia.

> *un restaurante* **pequeño** [físicamente pequeño] = *un* **pequeño** *restaurante* [físicamente pequeño]

> *un hombre* **grande** [físicamente grande] ≠ *un* **gran** *hombre* [grande en importancia]

🔍 **Atención:** en las formas del masculino singular, **bueno** y **malo** pierden la –o final ante sustantivos masculinos (**buen** amigo, **mal** día) y **grande** se convierte en **gran** delante de sustantivos tanto masculinos como femeninos: un **gran** amigo y una **gran** persona.

5 RUMORES, RUMORES

A. Lee los siguientes fragmentos de prensa y marca la combinación de adjetivo y sustantivo que mejor expresa su contenido.

1.
> **Los actores Javier Calvo y la Gala Cruz niegan los rumores sobre su posible relación amorosa**

☐ Ciertos rumores ☐ Rumores ciertos

2.
> **La editorial Libros Extra publica las obras completas de Pérez y Pérez en un único volumen de 4000 páginas**

☐ Un gran libro ☐ Un libro grande

3.
> **Un profesor de literatura de la UJK suspende a todos sus alumnos por incluir en sus trabajos finales textos copiados directamente de Internet.**

☐ Un buen profesor ☐ Un profesor bueno

4.
> **El precio de un piso de segunda mano en San Sebastián ronda los 300 000 euros**

☐ Precio medio ☐ Medio precio

B. Busca en internet ejemplos de dos o tres adjetivos que cambian de significado. Usa las comillas (" "); teclea, por ejemplo, "un caso único" y "un único caso". Lee con atención los resultados, ¿qué observas?

ESTRATEGIA

Para aprender cómo funciona la lengua puede resultarte muy útil observar ejemplos de usos reales en los periódicos, la televisión, las novelas. En internet, por ejemplo, puedes encontrar de manera rápida miles de ejemplos.

6 EN EL CENTRO COMERCIAL

Completa colocando el adjetivo haciéndolo concordar en género y número. ¿En qué posición debe ir: delante del sustantivo, después de este o puede ir en ambas?

A.
- No me gustan las .... películas .... , me aburren. (romántico)

- Pues a mí tampoco me gusta el .... cine .... , pero vi contigo *Salvad al soldado Ryan*. (bélico)

B.
Tenemos muchos tipos de .... cámaras .... ; tenemos .... máquinas .... reflex, profesionales... (fotográfico, compacto)

C.
Tienes que leer esta novela de Pamuk, el .... escritor .... , es buenísima. (turco)

D.
Los vendedores que llevan el .... uniforme .... son los de la sección de informática. (azul)

E.

ATENCIÓN SEÑORES CLIENTES:

Hoy es el .... día .... para efectuar la reserva del iPep. (único)

F.
¿Para un niño de 8 años? Le puedo recomendar este .... libro .... Seguro que le encanta. (precioso)

G.
Tenemos clientes de todas las edades, pero la .... edad .... es de 33 años. (media)

H.
Le recomiendo este ordenador portátil: potente, ligero (pesa menos de 1 kilo) y muy rápido: una .... máquina .... (grande)

I.

ATRAPADOS EN EL MUSEO

Una .... aventura .... del inspector Zorraquino, un .... conocido .... de los lectores españoles. (nuevo, viejo)

MUNDO PLURILINGÜE

Traduce las siguientes frases a tu lengua u otras lenguas que conozcas. ¿Qué observas respecto a los adjetivos y su posición?

¿Ves esa ventana abierta? Ahí vive un buen amigo mío.

¿Dónde está mi camisa azul?

Facundo siempre tiene buena suerte: le ha tocado otra vez la lotería.

Ana ha pasado unas largas vacaciones en Bali.

Zoraida es una vieja amiga de la facultad.

Es una estupenda idea: vamos al cine.

¿Cuando empieza el festival internacional de cine?

您好！

¡Hola!

مرحبا

Valor de los artículos

Los artículos sirven para señalar si el sustantivo al que acompañan ha aparecido o no en el discurso; si es algo conocido (o ya mencionado) o desconocido (o de segunda mención) para el interlocutor. En español hay dos clases de artículos: los determinados y los indeterminados.

	determinado	
	masculino	femenino
singular	el	la
plural	los	las
	indeterminado	
	masculino	femenino
singular	un	una
plural	unos	unas

ARTÍCULO INDETERMINADO O DE PRIMERA MENCIÓN
● *Fuera hay una chica que pregunta por ti.*
ARTÍCULO DETERMINADO O DE SEGUNDA MENCIÓN
○ *Es la chica que entrevisté el jueves.*

¿Hacia dónde vamos, hacia el Norte o el Sur?

Atención: ¡Recuerda!

a + el = al   de + el = del

Delante de los sustantivos femeninos que empiezan por a- o ha- tónica (agua, arma, ave, hacha, etc.) se usan los artículos masculinos **el** y **un**.

~~la ave~~ (**el** ave) pero **las** aves o **la** simpática ave

~~una hacha~~ (**un** hacha) pero **unas** hachas

---

1 IR AL CINE A VER UNA PELÍCULA INGLESA

Muchas expresiones más o menos fijas que sirven para designar acciones llevan un artículo determinado, pero cuando nos referimos a una acción individual, podemos usar otras formas que incluyen un artículo indeterminado. Completa las siguientes columnas.

el/la/los/las

ir a .... cine	jugar a _las_ cartas
ir a .... teatro	lavar _la_ ropa
ir a .... bar	planchar _la_ ropa
ir a .... fútbol	fregar .... platos
leer .... periódico	regar _las_ plantas
ir a .... montaña	tender _la_ ropa
ver .... tele	jugar a .... ajedrez
oír .... radio	jugar a .... bolos

un/una/unos/unas

ver _una_ película	jugar .... partida de cartas
ver .... obra de teatro	lavar .... camisa
tomar .... café	planchar .... pantalones
ir a .... partido	fregar .... taza
leer .... artículo	regar .... planta
hacer .... excursión	plantar .... árbol
ver .... programa	dar .... paseo con el perro
oír .... programa	tener .... hijo

Me gusta mucho regar las plantas.

Contraste entre artículo determinado e indeterminado

▶▶ Usamos el artículo indeterminado para referirnos a algo que, para nuestro interlocutor, no es identificable entre otros objetos de su clase. Esto ocurre porque hay varios objetos del mismo tipo o porque hablamos por primera vez de ese objeto.

> *Anoche vi **una** película estupenda.*
> *Tenemos **un** problema urgente que resolver.*

▶▶ Usamos el artículo determinado para indicar que nos referimos a algo identificable para el oyente porque no hay otros objetos como ese o porque hemos hablado antes de él.

> ***La** caída **del** Imperio Romano marca **el** comienzo de **la** Edad Media.*
>
> ***La** película que vi anoche era sobre **la** Guerra Civil.*

¿Cuál era la nacionalidad del escritor Rubén Darío?

2 TENGO QUE CONTARTE UN SECRETO

Selecciona la forma adecuada del artículo según el contexto.

1. ● Tengo que contarte .... cosa.

   ○ ¿Qué pasa?

   ● Nada, que ya sabemos .... sexo del bebé: ¡es .... niño!

2. ● Me han dado .... nota del examen de árabe. He sacado .... 10.

   ○ Lógico, eres .... mejor alumna de .... clase.

3. ● ¿Tienes .... momento para hablar conmigo? Tengo .... problema.

4. ● Hay .... niño en tu jardín.

   ○ Sí, es .... hijo pequeño de mi hermana.

5. ● ¿Dónde está .... coche?

   ○ En el taller de .... tío Luis. Tenía .... golpe en .... carrocería.

6. ● ¿Qué tal su familia? ¿........... niños están bien?

   ○ Sí, ahora justamente voy a .... colegio a buscarlos.

7. ● ¿Sabes .... nombre de la nueva profe de francés?

   ○ Laura; dicen que es .... profesora buenísima.

8. ● ¿Quién es .... responsable de .... relaciones internacionales?

   ○ .... señor Ramoneda.

9. ● ¿Cómo son .... amigos de Leo?

   ○ Geniales, tiene .... amigos simpatiquísimos.

10. ● ¿Sabes dónde vive .... abuela de Juan?

    ○ Solo sé que vive en .... piso pequeño.

Ausencia del artículo

⏩ Cuando no hacemos referencia a un objeto en concreto, sino a una clase o categoría, no usamos el artículo.

> *No tengo ø coche.*

> *¿Todavía usas ø máquina de escribir?*

⏩ Cuando nos referimos a cantidades no determinadas de sustantivos contables (en plural) y de sustantivos incontables (en singular), es frecuente no usar artículo.

> *¿Habéis comprado ø entradas para el concierto?*

> *¿Has comprado ø hielo?*

> Este plato lleva arroz, azúcar, dos huevos...

🔵 **Atención:** en español es muy difícil encontrar sustantivos sin determinar en la función de sujeto.

> *ø Guerra es una estupidez.*
> **La** *guerra es una estupidez.*

> *ø Amigos son necesarios en momentos como este.*
> **Los** *amigos son necesarios en momentos como este.*

⏩ Cuando atribuimos a alguien sustantivos que se refieren a profesiones, cargos o funciones, los usamos sin artículo.

> *Carla es ø bióloga y su marido, ø policía municipal.*

> *Lo han nombrado ø ministro; ¡es increíble!*

⏩ Si queremos generalizar y referirnos a toda una clase de objetos, usamos el artículo determinado.

> **Los** *españoles cenan tarde.*

> *No soporto* **la** *música disco de los años 80.*

> *¿Piensas que* **las** *mujeres son más sensibles que* **los** *hombres?*

⏩ Cuando hablamos de un objeto concreto representativo de una clase, podemos usar los artículos indeterminados en singular.

> **Un** *ñandú es* **un** *tipo de avestruz pequeño.*

---

3 **PASTELES**

Escribe los artículos necesarios o marca su ausencia con ø. En algunos casos existen varias posibilidades.

1. Marcos ha traído a clase .... pasteles; debe de ser su cumpleaños.

2. Marcos ha traído a clase .... pasteles que compró ayer por la tarde.

3. ● ¿A qué se dedica Carina?
    ○ Es .... pediatra. Hizo la especialidad en .... clínica muy buena.

4. ● ¿Quién es esa mujer?
    ○ Es .... pediatra de mis hijos, es un encanto.

5. ● ¿Qué es .... ojo de buey?
    ○ .... ventana redonda, como las de ...... barcos.

6. ● ¿Estáis haciendo obras en .... tejado de casa?
    ○ Sí, vamos a poner .... ojo de buey.

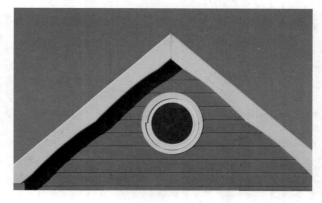

7. Este invierno .... tomates están carísimos.

8. ¿Tenemos .... tomates en casa? Quiero hacer .... ensalada griega.

9. En la oficina tenemos .... aire condicionado, afortunadamente.

10. ¿Has puesto .... aire condicionado? Hace mucho calor aquí.

11. ¿Cómo prefieres .... carne?

12. Mi madre hoy ha hecho .... carne buenísima.

Uso del artículo sin sustantivo

Cuando está claro de qué estamos hablando, los artículos pueden utilizarse sin mencionar el sustantivo.

> *¿No has visto por aquí mis <u>cuadernos</u>? Son **unos** azules, de anillas…*

> *Mi hermano es ese <u>chico alto</u>, **el** de gafas.*

> *¿Tienes <u>tomates</u>? **Los** que compré ayer están malos.*

> *Necesito un <u>bolígrafo.</u> ¿Me prestas **uno***?*

Atención: en estos casos en los que no se menciona el sustantivo, **un** se convierte en **uno**.

4 ¿ME DEJAS EL ROJO?

Tacha los sustantivos que no sean necesarios. Puedes modificar algunas palabras.

1. La carpeta que trajiste es demasiado grande. ¿No había una carpeta más pequeña?

2. ¡Cuidado! ¡La silla de la derecha está medio rota! Siéntate mejor en la silla negra, la silla de plástico.

3. El jersey que llevas es muy ligero para este frío… Ponte mejor un jersey más grueso.

4. ¿Cuál de estos bolsos es el tuyo? ¿El bolso negro o el bolso verde pequeño?

5. Los vasos de cristal son peligrosos para los niños: a ellos dales unos vasos de plástico.

6. ● ¿Trajiste.las revistas?
   ○ Sí, he traído unas revistas de arquitectura y una revista de música…

7. Otra vez olvidé el paraguas en la oficina y tuve que comprarme un paraguas por ahí…

8. ¿Cuál es la casa de Silvia? ¿La casa que tiene jardín o la casa blanca que está enfrente?

El artículo determinado neutro lo

La construcción **lo + adjetivo**. Equivale a decir **la(s) cosa(s)** + adjetivo, **el aspecto** + adjetivo.

> *Es **lo** <u>mejor</u> que me ha pasado en la vida* (=la mejor cosa)

> *Hay que recoger **lo** <u>sucio</u> y dejar **lo** <u>limpio</u>* (=las cosas sucias; las cosas limpias)

> ***Lo** <u>extraño</u> es que nadie me ha llamado* (=el aspecto extraño)

La construcción **lo que** + verbo equivale a decir **la(s) cosa(s) que** + verbo.

> *¿Sabes **lo que** <u>me ha dicho</u> Paca?* (=la cosa/las cosas)

La construcción **lo de** + sustantivo equivale a **el asunto relacionado con**.

> ● *¿Ya sabes lo de Gustavo?*
> ○ *Sí, pero eso no es nada comparado con lo de mis primos.*

Atención: **lo** + adjetivo, **lo** + adverbio y **lo que** + verbo son a menudo maneras de enfatizar cantidad o intensidad, sobre todo en frases exclamativas e interrogativas.

> *¡**Lo** <u>guapo</u> que está tu marido! ¿Qué se ha hecho?*

> *No sabes **lo** <u>mal</u> que lo pasamos el otro día.*

Lo que hemos comido… ¡Estoy llenísimo!

5 EL / LO / LA

A. Escucha los siguientes comienzos de frase y anota qué artículo oyes.

5

1. ¿........ (el / lo / la) mejor de mi clase?

☐ Pedro.   ☐ El ambiente.

2. .... (el / lo / la) que nos preocupa es...

☐ Sara.   ☐ los problemas financieros.

3. .... (el / lo / la) que tiene más años aquí es...

☐ la alfombra.   ☐ Arturo.

4. Para mí, ... (el / lo / la) más difícil es...

☐ las matemáticas.   ☐ el segundo ejercicio.

5. ¿Y .... (el / lo / la) de la izquierda?

☐ ● Es mi cuñada.   ☐ ○ Es un regalo.

6. ¿Sabes .... (el / lo / la) de Pedro?

☐ ● Sí, me lo han contado hoy.   ☐ ○ Sí, es el 677 888 888.

7. .... (el / lo / la) que debe mejorar es...

☐ Lucía, se esfuerza poco.   ☐ nuestro rendimiento.

B. Ahora elige, de las dos opciones planteadas para cada frase, la continuación o la respuesta más adecuada.

🌐 MUNDO PLURILINGÜE

Traduce a tu lengua o a otra que conozcas las frases siguientes. ¿Cómo funcionan los artículos en cada lengua? ¿Es igual? ¿En todos los casos? ¿Qué diferencias hay?

Torcuato es ingeniero. Estudió en la Universidad Politécnica.

¿El hotel tiene piscina? Me gusta darme un baño por las mañanas.

No puedo comer fresas, soy alérgico.

Desde que Martín tiene novia, está más simpático.

Por favor, ponte la camisa.

ESTRATEGIA

Muchos de nuestros errores se deben a que traducimos, palabra a palabra, lo que decimos en nuestra lengua materna (o en otras lenguas extranjeras que manejamos mejor). Observar las diferencias en ejemplos concretos te ayudará a comprender los mecanismos del español.

Valor de los posesivos

Los posesivos identifican el sustantivo al que acompañan o al que se refieren, relacionándolo con un poseedor. Esta relación no es siempre de posesión en el sentido literal (1) y puede tener otros valores, como por ejemplo la pertenencia a un grupo (2), el parentesco (3), la relación creador-creación (4), etc.

> *(1) No encuentro **mis** gafas.*

> *(2) Supo la noticia por un colega **suyo**.*

> *(3) **Su** madre se llama Teresa.*

> *(4) Es muy buen músico, tengo todos **sus** discos.*

Formas átonas de los posesivos

Las formas átonas de los posesivos siempre acompañan a un sustantivo y se colocan delante de este.

	singular	
	masculino	femenino
Yo	mi perro/gata	
Tú	tu perro/gata	
Él /ella / usted	su piso/casa	
Nosotros / nosotras	nuestro hermano	nuestra hermana
Vosotros / vosotras	vuestro piso	vuestra casa
Ellos / ellas / ustedes	su hermano / hermana	

	plural	
	masculino	femenino
Yo	mis hermanos / hermanas	
Tú	tus hermanos / hermanas	
Él /ella / usted	sus pisos / casas	
Nosotros / nosotras	nuestros hermanos	nuestras hermanas
Vosotros / vosotras	vuestros pisos	vuestras casas
Ellos / ellas / ustedes	sus hermanos / hermanas	

Atención: las formas átonas de los posesivos no pueden ir precedidas de un artículo.

> ~~El mi primo~~
> ~~Una tu amiga~~

1 ¿SU NOMBRE, POR FAVOR?

Escribe en cada imagen el número del diálogo correspondiente. Completa después los diálogos con los posesivos adecuados.

A.

● Hola, buenas tardes. He reservado una habitación para esta noche.

○ ¿Me dice .... nombre, por favor?

● Marta Rodríguez.

○ Lo siento, no encuentro .... reserva.

● ¿Puede mirar si está reservada a nombre de Pedro Márquez? Es .... marido.

○ Ah, sí. Aquí está. Es la número 35. ¿Me puede dejar .... pasaporte, por favor? Así rellenamos la ficha con .... datos y la puede firmar más tarde. .... habitación está en la tercera planta, los acompaño.

B.

● Esta es María, ... hermana menor.

○ ¡Hola, María! .... hermana me ha hablado mucho de ti. ¿Cómo ha ido el viaje?

▼ No muy bien, la verdad. No vuelvo a viajar con esta compañía. .... vuelo ha salido con media hora de retraso y encima no ha llegado una de .... maletas. ¡Ah! Y .... lentillas y las medicinas para la alergia estaban dentro.

C.

La verdad es que últimamente Ana tiene muchos problemas en su trabajo: no se lleva bien con .... jefe y, además, ha discutido con varios de .... compañeros, para colmo .... novio también trabaja en la misma empresa y, claro, hay muchas tensiones en .... relación de pareja. No sé qué aconsejarle, la verdad.

D.

El objetivo de .... asociación es defender los derechos de los consumidores y protegerlos de los abusos las empresas. Durante este año .... abogados han atendido las reclamaciones de más de ciento cincuenta socios. Es .... deber actuar a favor de los consumidores y de .... derechos.

Formas tónicas de los posesivos

⏩ Las formas tónicas de los posesivos pueden aparecer acompañando a un sustantivo (1) o sin sustantivo (2 y 3).

> Este es un amigo **mío** de Granada. (1)

> ● ¡Qué vestido tan bonito!
> ○ ¿Te gusta? A mí el **tuyo** me encanta. (2)

> ¿Este pantalón es **tuyo** o de tu hermana? (3)

	singular	
	masculino	femenino
Yo	un amigo mío	una amiga mía
Tú	un amigo tuyo	¿Es tuya esta bolsa?
Él / ella / usted	ese primo suyo	esa prima suya
Nosotros / nosotras	un libro nuestro	una película nuestra
Vosotros / vosotras	vuestro piso	vuestra casa
Ellos / ellas / ustedes	algún vecino suyo	¿Es suya la guitarra?

	plural	
	masculino	femenino
Yo	unos amigos míos	unas amigas mías
Tú	unos amigos tuyos	unas amigas tuyas
Él / ella / usted	No son suyos.	esas primas suyas
Nosotros / nosotras	dos libros nuestros	tres películas nuestras
Vosotros / vosotras	otros pisos vuestros	otras casas vuestras
Ellos / ellas / ustedes	algunos vecinos suyos	algunas vecinas suyas

⏩ Cuando acompañan a un sustantivo, los posesivos tónicos se colocan siempre detrás de este y concuerda con él en género y número. Delante del sustantivo pueden aparecer diferentes determinantes: (1) un artículo, (2) un demostrativo, (3) un cuantificador, (4) un interrogativo, etc.

> Ha estado en casa de **un** colega **suyo**. (1)

> **Esa** amiga **suya** tan rara viene a cenar hoy. (2)

> Me encontré con **tres** colegas **míos** en la conferencia. (3)

> No sé a **qué** amigo **mío** te refieres. (4)

2 LLEVANDO LA CONTRARIA

Alonso Contreras siempre lleva la contraria a su amigo Pelayo. Observa cómo lo hace y completa las frases.

> Acabo de ver a un amigo tuyo en la tele.

> ¿Un amigo mío? ¡imposible!

1. ● Bertrán está de vacaciones con una sobrina suya.

   ○ ¿Con una sobrina.....................? ¡No me lo creo!

2. ● Diego está en un apartamento suyo de la costa.

   ○ No es ...., es de su hermano.

3. ● Blanca me ha dicho que tienes unos libros suyos.

   ○ ¿ ....? ¡Son míos!

4. ● Jimena me ha enseñado unas fotos tuyas, de cuando fuiste a visitarla a Covadonga.

   ○ ¿.....................? Imposible, nunca he estado en Covadonga.

5. ● Tengo una guía de viajes tuya.

   ○ ¿.....................? ¡Qué va!

6. ● ¿Te acuerdas de un profesor mío que vivía en Turín?

   ○ Pues no, no recuerdo a ningún profesor ....

7. ● Hemos encontrado en el cine a unas conocidas nuestras muy simpáticas.

   ○ ¿Conocidas..................... muy simpáticas? ¡Vosotros no tenéis conocidas simpáticas!

Usos de los posesivos átonos y tónicos con un sustantivo

▶▶ Los posesivos tónicos, cuando acompañan a un sustantivo, lo identifican como parte de un conjunto de objetos de la misma categoría.

> *He visto a ese amigo **tuyo** tan guapo.* (El que he visto es uno de tus amigos)

> *Me refiero a una película **suya** que ganó un Oscar.* (Ha dirigido varias películas)

▶▶ Los posesivos átonos identifican el objeto poseído refiriéndose a una relación de pertenencia única, bien porque no existe otro objeto de la misma categoría que pertenezca a esa persona.

> ***Mi** padre se llama José.* (Se trata de una relación única)

> *¿Me das **tu** número de teléfono?* (Solamente tiene un número de teléfono)

Bien porque se trata de una relación especial que identifica al objeto poseído entre otros de su misma categoría.

> *Mi amiga me ha dicho que va a venir a buscarme.* (Es mi mejor amiga o la amiga de la que hemos hablado antes)

Posesivos tónicos que no acompañan a un sustantivo

▶▶ Los posesivos tónicos pueden aparecer sin sustantivo cuando está claro a cuál se refieren por el contexto. El posesivo tónico se comporta aquí como un pronombre.

> ● *Mi <u>chaqueta</u> es la negra de cuero.*
> ○ *La **mía** es la de al lado* (= Mi chaqueta es la de al lado)

> ● *¿De quién son estas <u>maletas</u>?*
> ○ *Son **mías*** (= Son mis maletas)

▶▶ Utilizamos los posesivos tónicos con el artículo determinado (el **mío**, la **mía**, los **míos**, las **mías**, etc.) para referirnos a objetos de la misma categoría que pertenecen a distintas personas, normalmente para distinguirlos.

> *Su hija es dos años mayor que **la mía.***

> ● *Esta es la cartera de Julia. ¿Verdad?*
> ○ *No, **la suya** es roja.*

▶▶ Usamos los posesivos tónicos sin artículo para responder a la pregunta "¿de quién?"

> ● *¿De quién son estos libros?*
> ○ ***Míos.***

---

3 **¡MÍA!**

🔊 Escucha y completa. Luego elige la respuesta correcta en cada caso.
6

1. ● ....
 a. ○ La nuestra también.
 b. ● Tu hija también.
 c. ○ ¡Mía!

2. ● ....
 a. ○ Sí, son suyas.
 b. ● Bueno, dos son suyos, los otros no.
 c. ○ No, no son unos discos suyos.

3. ● ....
 a. ○ Mis maletas son de piel.
 b. ● ¡Nuestras!
 c. ○ No son las suyas.

4. ● ....
 a. ○ Sí, y mis hermanos.
 b. ● Sí, y las mías también.
 c. ○ No, van a venir mis hermanas.

5. ● ....
 a. ○ Del mío.
 b. ● Mía y de Pedro.
 c. ○ De esa amiga suya que vive en Grecia.

6. ● ....
 a. ○ Las tuyas están aquí.
 b. ● Tuyas, aquí.
 c. ○ No sé. ¿Te dejo las mías?

Uso de los posesivos en español

En español, en general, no se usan los posesivos para hablar de partes del cuerpo, de ropa que estamos llevando o de otros objetos personales, sino los artículos determinados **el, la, los, las**. Esto es así cuando existe otro elemento de la frase (un verbo, o un pronombre) que informa de esa relación.

> Llevas **la** camisa abierta.
> ~~Llevas tu camisa abierta.~~

> Abra **la** boca, por favor.
> ~~Abra su boca, por favor.~~

> Le dolía mucho **la** espalda.
> ~~Le dolía mucho su espalda.~~

> ¿Me has preparado **el** almuerzo?
> ~~¿Me has preparado mi almuerzo?~~

> Abra la boca, por favor, y diga "Aaaaah"

> Aaaaahhh.

 MUNDO PLURILINGÜE

Traduce a tu lengua o a otra que conozcas bien las siguientes oraciones. ¿Qué diferencias observas? ¿Se utilizan los posesivos igual en tu idioma y en español?

> Abra la boca, por favor.

> Me he olvidado las gafas en casa.

> Me duelen muchísimo los oídos.

> Lávate las manos antes de comer.

> ¿Me has cosido el vestido para la fiesta?

> ¿Te preparo el desayuno?

....
....
....
....
....
....
....
....
....

¡Hola!

مرحبا

您好！

Los cuantificadores (I)

▶▶ Los cuantificadores se usan para graduar la intensidad de distintos tipos de palabras.

	con sustantivos	con adjetivos y adverbios	con verbos
+	demasiado/a/os/as	demasiado	demasiado
	todo / toda / todos / todas	totalmente, completamente	
	mucho/a/os/as	muy	mucho
	bastante/s	bastante	bastante
	algunos/as		
	algo de	algo	algo
	un poco de	un poco	un poco
	poco/a/os/as	poco	poco
	(no) nada de	(no) nada	(no) nada
−	(no) ningún/una		

▶▶ Los cuantificadores que acompañan a los sustantivos funcionan como adjetivos y concuerdan con aquellos en género y número, excepto **un poco de** y **nada de**.

Mucha gente piensa como nosotros.

*No han cumplido **ningún** objetivo.*

▶▶ **Todo, toda, todos, todas** siempre lleva algún tipo de determinante: artículo, posesivo o demostrativo.

Todos los diputados votaron a favor.

*Tiene puestas **todas sus** esperanzas en esto.*

He apostado todo mi dinero a tu victoria, ¡vamos Gandul!

1 MUCHOS MUCHACHOS

Completa los cuantificadores que aparecen en las siguientes frases.

1. En este parque siempre hay much......... niños.

2. Me gustan much......... los niños.

3. Tengo much......... ganas de verte.

4. No podemos ir al cine, están tod......... las entradas vendidas.

5. Tod......... mi familia vive en España.

6. He traído algun......... libros nuevos.

7. Compro bastant......... revistas de arte y cine.

8. Su cine es bastant......... interesante.

9. Este cuarto es demasiad......... frío.

10. He dormido demasiad......... .

11. Tenemos poc......... hambre, hemos comido much......... .

12. Tenemos much......... hambre, hemos comido poc......... .

13. Hemos venido a este restaurante tod......... las noches. ¡Qué aburrimiento!

14. Hemos pasado tod......... la noche cantando y bailando.

15. Eres demasiad......... joven para pensar que es demasiad......... tarde para ponerte a estudiar: tienes tod......... la vida por delante.

Los cuantificadores (II)

Demasiado/a/os/as tiene una connotación negativa e indica exceso.

> *Aquí hay **demasiada** gente, vamos a otro lugar…*

Bastante/s puede hacer referencia a una cantidad indeterminada entre **algunos** y **muchos** o tener el significado de **suficiente/s**.

> *En el concierto había **bastante** gente.*
> (=abundante)

> *¿Tenemos **bastantes** sillas para tanta gente?*
> (=suficientes)

Poco/a/os/as indica una cantidad pequeña a veces considerada como no suficiente (y se opone a **mucho**), mientras que **un poco** (**de**) indica una cantidad pequeña, pero considerada positivamente (y se opone a **nada**).

> *El pescado está rico, pero tiene **poca** sal.*
> (=no suficiente)

> ● *Todavía queda **un poco de** café… ¿quieres?*
>   (=algo de)
> ○ *Sí… con **poco** azúcar, por favor.* (=no mucho)

Cuando modifica adjetivos, usamos **un poco** para "suavizar" adjetivos negativos que podrían ser interpretados como una crítica.

> *Sí, es inteligente, pero **un poco** caótico, ¿no crees?*

En cambio, cuando **poco** modifica adjetivos, expresa que esa cualidad no se posee o se posee insuficientemente, lo que coincide muchas veces con una crítica.

> *El hotel está **poco** cuidado, las instalaciones están en mal estado.*

2 MUCHA GENTE, PERO NO DEMASIADA

Relaciona cada frase de la izquierda con su continuación o explicación más lógica, a la derecha.

1. Aquí siempre hay mucha gente…	**a.** es un sitio agobiante.
2. Aquí siempre hay demasiada gente…	**b.** es un sitio muy animado.
3. Tenemos bastante comida,	**c.** no hace falta más.
4. Tenemos mucha comida,	**d.** pero no sé si será bastante.
5. ¿Tienes un poco de mantequilla?	**e.** ¿Bajo y te compro más?
6. ¿Tienes poca mantequilla?	**f.** Quiero hacer unas creps.
7. Esta pared está un poco blanca,	**g.** necesita otra mano de pintura verde.
8. Esta pared está poco blanca,	**h.** necesita otra mano de pintura.
9. Es una novela muy interesante, pero…	**i.** un poco difícil de leer.
10. Es una novela muy interesante, y…	**j.** poco difícil de leer.
11. Tengo un poco de sueño,	**k.** quiero ir a dormir.
12. Tengo poco sueño,	**l.** no quiero ir a dormir.
13. Tengo muchos amigos;	**m.** eso me hace muy feliz.
14. Tengo demasiados amigos;	**n.** eso complica mi vida.

Los cuantificadores (III)

▶▶ **Todos/as**, **algunos/as** y **ningún/una** indican una cantidad en relación al total de elementos y siempre se refieren a sustantivos contables.

> *He respondido bien a **todas las** preguntas.*

> *He respondido bien a **algunas** preguntas.*

> *No he respondido bien a **ninguna** pregunta.*

▶▶ Los cuantificadores también pueden funcionar como pronombres. Cuando el sustantivo ya se ha mencionado o está claro por el contexto, pueden reemplazarlo.

> ● *¿Voy a comprar leche al supermercado?*
> ○ *No, no, tenemos **mucha**.*
>
> ● *¿Y huevos?*
> ○ *Eso sí, quedan **pocos**.*

Algo, alguien, nada, nadie, todo

▶▶ Cuando nos referimos a elementos cuya identidad no podemos o no queremos precisar, usamos los pronombres indefinidos **nada/algo/todo** y **nadie/alguien**.

> ***Nadie** sabe **nada** sobre Juan. Ha desaparecido.*

> ***Algo** se ha movido allí, detrás de esos arbustos…*

> *¡Ahora lo entiendo **todo**!*

> *¿Hay **alguien** ahí?*

ⓘ **Atención:** estos cuantificadores son invariables en género y número.

▶▶ **Nada** y **nadie**, al igual que **ningún/una/unos/unas** y las demás formas negativas, están acompañadas por el adverbio **no** cuando aparecen después del verbo, pero no lo están cuando aparecen antes del verbo.

---

3 **¿TODO O TODOS?**

Relaciona cada frase de la izquierda con su réplica más lógica, a la derecha.

1. ¿Dónde has conseguido todos estos tapices? ¿En tus viajes?

2. Especias, aceite de sésamo, algas chinas... Recorriste media ciudad, ¿eh?

a. ¡Qué va! Lo compré todo aquí, en una tienda del barrio.

b. ¡Qué va! Los compré todos aquí, en una tienda del barrio.

3. Todos están preparados.
4. Todo está preparado.

c. No hace falta nada más.
d. ¿Seguro? ¿No falta nadie?

5. Necesito sobres grandes para guardar estos papeles...
6. No tengo con qué abrir esta botella...

e. Aquí tengo algo que puede servir.
f. Aquí tengo algunos que pueden servir.

7. Por favor, trae lo que está en la entrada.
8. Por favor, trae las bolsas que están en la entrada.

g. No queda nada.

h. No queda ninguna.

Pues son unos tapices un poco feos.

4 NO, NADA

Introduce el adverbio **no** en las siguientes frases cuando sea necesario.

1. Nadie quiere trabajar en esta casa, ¡aquí ^{no} puedes pedir ayuda a nadie!

2. Quiero casarme con nadie, estoy muy bien soltero.

3. Le he dicho a nadie tu secreto, puedes estar tranquilo.

4. Nada me gusta más que pasar un día de playa con mis hijos.

5. Hay nada para cenar, tenemos que ir a cenar fuera.

6. Ningún amigo mío te cae bien, eres muy intolerante.

7. Te llevas bien con ningún amigo mío, eres terrible.

8. Nunca me he sentido mejor, soy feliz.

9. Soy feliz, me he sentido mejor nunca.

10. Nada consigue ponerla nerviosa, tiene unos nervios de acero.

MONUMENTO A LA MUJER DE LOS NERVIOS DE ACERO

🌐 **MUNDO PLURILINGÜE**

Traduce a tu lengua o a otra que conozcas bien las frases 1, 2, 3, 4 y 5 del ejercicio anterior. Observa cómo funciona en esa lengua el uso de las formas negativas.

1. ....

2. ....

3. ....

4. ....

5. ....

您好！

¡Hola!

مرحبا

5 ALGO ES ALGO

Relaciona cada frase con una de las imágenes.

1. ¿Quién ha ordenado esto?
☐ **a.** Alguien, supongo.
☐ **b.** Nadie, supongo.

2. Adriana...
☐ **c.** Adriana trae algo.
☐ **d.** Adriana trae a alguien.

3. ¿A quién ves?
☐ **e.** A nadie famoso.
☐ **f.** A alguien famoso, pero no sé en qué película sale.

4. ¿Quién viene?
☐ **g.** Nadie.
☐ **h.** Alguien.
☐ **i.** Rodrigo.

5. ¿Qué tienes ahí?
☐ **j.** Algo.
☐ **k.** Nada.

6 SIEMPRE NEGATIVO

Aldana y Fernando son compañeros de trabajo. Ella es una persona optimista, en cambio Fernando lo ve todo negativo y nada le parece bien. Completa sus diálogos con las palabras de las cajitas.

1.

FERNANDO: Cuánta gente.

ALDANA: ¡Sí! ¡Es un éxito! ¡Ha venido .... gente!

FERNANDO: Yo diría que .... gente, no puede uno ni moverse aquí...

| (no) nada de | poca | un poco de | mucha | demasiada |

2.

ALDANA: Mira, aquí hay .... café...

FERNANDO: Pero es .... para los dos... Tómatelo tú.

| nada de | poco | un poco de | bastante | demasiada |

3.

ALDANA: Diego es .... sociable, ¡me encanta!

FERNANDO: Pues en mi opinión es ....

sociable. Acaba por resultar pesado.

| nada de | poco | un poco de | muy | demasiado |

4.

FERNANDO: Aldana, queda .... tinta

en la impresora. ¡Así no se puede trabajar!

ALDANA: Tranquilo, todavía hay ....

si imprimimos en modo borrador, seguro que

alcanza hasta que traigan más.

| poca | un poco de | bastante | mucha | demasiada |

5.

ALDANA: Alicia es .... pedante, ¿no?

FERNANDO: ¿Un poco? ¡ .... pedante!

ALDANA: Pero es .... eficiente, eso sí.

| poca | un poco | muy | bastante |

7 UN MONTÓN DE EXPRESIONES

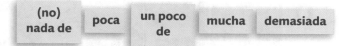

7 / 12 Existen otras expresiones para cuantificar, como las de este cuadro. Escucha las siguientes conversaciones, detecta las expresiones utilizadas y busca un equivalente entre las que ya hemos visto.

- **un pelín** + adjetivo
- **un pelín de** + nombre
- **un pelín**
- **un tanto** + adjetivo / adverbio
- **super-** + adjetivo / adverbio
- **re-** + adjetivo / adverbio
- **realmente** + adjetivo / adverbio
- **un montón de** + nombre
- **un montón**
- **la mar de** + adjetivo / adverbio / nombre

1. <u>rebueno</u> = muy bueno, ...

2. ....

3. ....

4. ....

5. ....

6. ....

ESTRATEGIA

Las posibilidades de expresar intensidad o cantidad son muchas. Cuando hablas con nativos o escuchas sus conversaciones pueden aparecer expresiones que desconoces, pero podrás comprenderlas por el contexto, la entonación y la gestualidad.

Formas de los pronombres

 La forma de los pronombres personales cambia según su función en la oración.

sujeto*	comp. preposicional	COD	COI	formas reflexivas
Yo	mí (conmigo)	me	me	me
Tú	ti (contigo)	te	te	te
Usted	usted	lo / la	le (se)**	se
Él / Ella	él / ella	lo / la	le (se)	se
Nosotros / Nosotras	nosotros / nosotras	nos	nos	nos
Vosotros / Vosotras	vosotros / vosotras	os	os	os
Ustedes	ustedes	los / las	les (se)	se
Ellos / Ellas	ellos / ellas	los / las	les (se)	se

* Los pronombres personales en función de sujeto se usan solo con personas: nunca con cosas o lugares.

** Los pronombres de COI **le** y **les** se convierten en **se** cuando van acompañados de los pronombres de COD **lo, la, los, las**:

Se lo daré.
~~*Le lo daré.*~~

Atención: en las regiones de Latinoamérica en las que existe el voseo, el pronombre **vos** convive con **tú** para la 2ª persona del singular o lo remplaza. Sus formas son:

sujeto*	comp. preposicional	COD	COI	formas reflexivas
vos	vos (con vos)	te	te	te

¡Este regalo es para vos!

Yo tengo este para ti.

MUNDO PLURILINGÜE

A. En tu lengua, ¿varían los pronombres según su ubicación en la oración? Traduce estas frases a tu lengua o a otra que conozcas bien y compara los resultados.

Yo siempre vengo a este sitio.

Esto es para mí.

Me llamaron de otra empresa.

Me trajeron estos libros.

Me ducho antes de ir a dormir.

Ella siempre viene a este sitio.

Esto es para ella.

La llamaron de otra empresa.

B. ¿Por qué no intentas hacer un cuadro de pronombres como el que presentamos más arriba, en ambas lenguas?

您好！

¡Hola!

مرحبا

Pronombres en función de sujeto

» En general, en español se omite el uso del pronombre ante un verbo conjugado: la forma del verbo ya nos proporciona la información necesaria. Sí se utiliza cuando queremos resaltar la persona por oposición a otras.

> ● *Vivís en Murcia, ¿verdad, chicas?*
> ○ *Ella sí, pero yo estoy viviendo en Valencia.*

»» También aparece cuando su ausencia puede llevar a confusión. Por eso es más frecuente en la tercera persona, para evitar confusiones entre **él**, **ella** y **usted**; **ellos**, **ellas** y **ustedes**.

> ● *Isabel y Ana plantearon el problema a los directores.*
> ○ *¿Y qué dijeron ellos?*

> *Usted ha sido asignado al área 4 y él, a la 6.*

Pronombres **yo** y **tú** en función de complemento preposicional

»» Los pronombres **yo** y **tú**, cuando van después de una preposición se transforman en **mí** y **ti**.

> *Toma, esto es para ti.*

> *A mí no me gusta el fútbol.*

»» Con las preposiciones **entre**, **excepto**, **incluso**, **salvo**, **según** y **hasta** (con valor de incluso), se usan los pronombres sujeto.

> ● *Entonces, según tú, ¿estas medidas son las correctas?*
> ○ *Entre tú y yo, me parece que son un error.*

> *Hasta yo quiero ir a esa exposición, y eso que la pintura moderna no me apasiona.*

»» Cuando se combinan con la preposición **con** tienen una forma especial.

> ~~con mí~~ = *conmigo*
> ~~con ti~~ = *contigo*

1 ME LLAMO JORGE

En algunas de estas frases el pronombre sujeto no parece necesario. Márcalo.

1. Yo me llamo Jorge Vilar y soy vuestro profesor de español.

2. ● ¿A qué te dedicas?
○ Yo trabajo en una tienda de ropa.

3. ● ¿A qué os dedicáis?
○ Yo tengo una tienda de ropa y él trabaja en un banco.

4. ¿Es usted Rosario Núñez?

5. Te presento a María: ella es ingeniera.

6. ● ¿Quién es Julio Iglesias?
○ ¿Tú no sabes quién es Julio Iglesias?

2 YO O A MÍ

Completa con las formas adecuadas del pronombre sujeto o del pronombre con la preposición **a**.

1. ¿No la conoces? .... me encanta esta canción.

2. A Juanjo le encanta Julio Iglesias, pero .... no lo soporto.

3. ¿................ os gusta este tipo de música? .... la encuentro insoportable.

4. .... nos encargamos de la bebida, ... os toca encargaros de los postres.

5. ¿............... te parece bien lo que ha dicho Lala? .... me he enfadado mucho.

6. ¿ .... no os interesa este viaje a Salamanca? .... ya nos hemos apuntado.

7. Aquel día .... te perdieron la maleta, es verdad, pero .... me tuve que quedar en tierra, sin poder viajar.

8. .... te quedan muy bien los sombreros, pero si .... me pongo uno, quedo ridícula.

ESTRATEGIA

Muchos verbos españoles funcionan como **gustar**, es decir: el sujeto gramatical no es la persona que recibe o siente la acción del verbo sino el elemento (persona, lugar, cosa o evento) que produce esa sensación. Para recordar qué verbos son estos puedes hacer listas de expresiones o frases que los contengan.

3 ESTO ES PARA TI

Completa estas oraciones con las preposiciones del recuadro y la forma adecuada del pronombre entre paréntesis.

	con	de	de	entre	para
para	por	sin	en	según	sobre

1. Pude acabar el informe a tiempo gracias a ti (tú).

2. .... los expertos, el calentamiento global es un problema muy serio.

3. El médico de los niños ha dicho que es mejor que estés alejado .... (ellos): esa gripe que tienes es muy contagiosa.

4. ¿Julián? Salió tras .... (tú), te estaba buscando...

5. Puedes confiar .... (yo). No contaré a nadie tu secreto.

6. Te escribo porque sé que puedo contar .... (tú) para ayudarme.

7. Han traído esto .... (tú)... no dice quién lo envía...

8. Por favor, ve a ver al médico, esos ronquidos me están volviendo loca... Sé bueno, hazlo .... (yo).

9. La mayoría de mis compañeros tienen problemas con la gramática. Sin embargo, ... (yo), lo más difícil es hablar con fluidez.

10. Ahora me dice que no puede vivir .... (yo), que me echa de menos, que quiere volver, ¡bla, bla, bla!

11. Prefiero no saber qué han dicho .... (yo), no me cuentes nada...

12. Que todo esto quede .... (tú) y .... (yo): es un secreto.

Posición de los pronombres (I)

⏩ Cuando hay más de un pronombre, su orden es COI + COD. Con los verbos conjugados, los pronombres se colocan siempre delante del verbo y separados (excepto en el caso del imperativo afirmativo); con el imperativo afirmativo, el infinitivo y el gerundio, los pronombres van tras el verbo formando con este una única palabra.

> ¿Te gusta mi nuevo ordenador? **Me lo** ha regalado mi novio.

> ● ¿Qué vas a hacer con ese reloj?
> ○ **Dárselo** a mi hermana.

💡 **Atención:** con los pronombres reflexivos, el orden es pronombre reflexivo + COD.

> ● ¿Y ese jersey? ¿**Te lo** pones alguna vez?
> ○ No, **se lo** pone más Inés.

4 ME LA DIO MI ABUELA

Completa los espacios en blanco con los pronombres correspondientes. Pon acentos gráficos donde sea necesario y escribe claramente si forman parte de la palabra o van separados.

1. ● ¿Me has comprado las especias?

   ○ Sí, ... he dejado sobre la mesa de la cocina.

2. He conseguido las revistas que querías. ....
   he dado a tu secretario esta mañana.

3. ● ¿Qué hago con los documentos de Bruno?

   ○ No sé, deja .... encima de la mesa.

4. ● ¿Qué tienes en las manos?

   ○ No lo sé, me he ensuciado con algo, voy a lavar ....

5. ● ¿Os han entregado ya los formularios?

   ○ Sí, ... trajeron el lunes. Gracias.

6. Sr. Mendoza, ha llegado este paquete para usted. ¿Dónde .... dejo?

> ¿Qué vas a hacer con tu nuevo elefante?

> Voy a regalárselo a mi abuela por su cumpleaños.

Presencia de los pronombres de COD y de COI

▶▶ En español, los pronombres de COD aparecen cuando, por el contexto, no es necesario repetir ese COD o cuando en la frase ese COD está situado antes del verbo.

> ● ¿Sabes algo de <u>Marcos</u>?
> ○ Sí, **lo** he visto esta mañana.

> ● ¿Qué sabes de <u>la última peli de Almodóvar</u>?
> ○ Nada, no **la** he visto.

> ● ¿Y toda esta comida?
> ○ <u>La tortilla</u> **la** ha traído Joan, <u>los canapés</u> **los** ha hecho Manel...

▶▶ En general, los pronombres de COI aparecen siempre que la frase tiene un COI.

> ● ¿**Le** has pedido las llaves del piso <u>a Eva</u>?
> ○ No, **se** las he pedido <u>a Ruth</u>.

5 ¿DÓNDE LOS HAS PUESTO?

Germán ha hecho la compra, pero lo ha dejado todo mal colocado. Por eso su madre ahora no encuentra nada. Ayúdala y dile dónde ha puesto Germán las cosas.

1. Los yogures <u>los ha dejado en el armario.</u>

2. La lechuga ....

3. Las patatas ....

4. Los huevos ....

5. El arroz ....

6. Los refrescos ....

7. El queso ....

8. El salchichón ....

9. Las galletas ....

Posición de los pronombres (II)

⏩ Con perífrasis y con estructuras como **saber / poder / querer** + infinitivo, los pronombres pueden ir delante del verbo conjugado o detrás del infinitivo, pero nunca entre ambos.

> Tengo que llevar**le** esto a Pepe.
> **Le** tengo que llevar esto a Pepe.
> ~~Tengo que le llevar esto.~~

> Quiero regalár**telo.**
> **Te lo** quiero regalar.
> ~~Quiero te lo regalar.~~

El pronombre COD neutro lo

⏩ Con el pronombre COD neutro **lo** nos referimos a partes del discurso o a pronombres como **esto, eso, aquello, algo.**

> <u>Hemos perdido las llaves</u>, ahora tenemos que decírse**lo** a mamá.

> ● ¿Alguien sabe <u>que estamos aquí</u>?
> ○ Nadie, no **lo** sabe nadie.

> ● ¿Y <u>esto</u> qué es?
> ○ Ni idea, **lo** ha traído Roque.

> Si encuentras <u>algo extraño</u>, no **lo** toques, por favor.

Tengo las manos atadas por una larga historia que no cabe en esta página... ¿Puedes desatármelas, por favor?

6 NO SE LO PERMITAS

Pon los pronombres adecuados en su sitio y los acentos gráficos necesarios. Puede haber más de una posibilidad y no hace falta rellenar todos los huecos.

1. Este paraguas es de Lourdes. ¿......... puedes .... llevar .... cuando vayas a su casa?

2. El médico me ha recetado esta loción. Ha dicho que .... tengo que .... aplicar .... en el pelo dos veces al día.

3. ● ¿Qué hago con estas carpetas?
   ○ Ni idea... .... pregunta......... a Miguel.

4. ● ¡La niña quiere hacerse un tatuaje!
   ○ ¡No .... permitas.........!

5. ¿Puedes responder tú? Yo .... estoy .... afeitando......... .

6. ● No sé si llevarme el ordenador en las vacaciones.
   ○ ¡No .... lleves.........! ¡ .... Tienes que .... olvidar......... del trabajo!

7. ● ¿Qué hago? ¿Le cuento a Lucas lo de su novia?
   ○ Sí, ... di......... . Creo que .... tiene que .... saber........., ¿no crees?

8. ● Y al final, ¿qué pasó con aquella moto que te ibas a comprar?
   ○ Mira, ... quería .... comprar........., pero el precio era excesivo... así que sigo buscando.

9. No sé cómo resolver esto: .... he estado .... analizando......... toda la tarde, pero no veo una solución.

10. ● Y finalmente, ¿le dijiste a Jonás que te vas de la empresa?
    ○ Mañana sin falta .... voy a .... decir......... : no .... quiero .... retrasar......... más.

Las frases declarativas, interrogativas y exclamativas

En español hay tres tipos básicos de frases según su entonación e intención comunicativa:

▶▶ Las oraciones **declarativas** tienen la intención básica de informar y poseen una entonación descendente.

> *He traído unos regalos de mi último viaje.*

▶▶ Las oraciones **interrogativas** directas (ver unidad 19) tienen la intención básica de pedir información. Tienen una entonación ascendente y llevan los signos **¿** y **?** Las interrogativas parciales o abiertas contienen una forma interrogativa (**qué**, **quién**, **cuándo**, **dónde**, **cómo**…) y admiten diferentes respuestas. Las interrogativas totales o cerradas solo llevan la marca de los signos de interrogación **¿** y **?** y admiten solo respuestas del tipo **sí** o **no**.

> *¿Me puedes echar una mano con mis maletas?*
> (interrogativa total)

> *¿De quién es esta bufanda?* (interrogativa parcial)

▶▶ Las oraciones **exclamativas** tienen la intención básica de expresar la actitud del hablante (sorpresa, enfado, alegría, etc.) o la de influir sobre los oyentes. Tienen una entonación enfática y descendente y se marcan con los signos **¡** y **!**

> *Acabo de leer tu cuento. ¡Me ha encantado!*

Atención: en español, los signos **¿** y **¡** se usan para señalar, respectivamente, dónde empiezan las frases interrogativas y exclamativas.

---

1 PUNTUAR

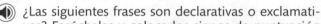

¿Las siguientes frases son declarativas o exclamativas? Escúchalas y coloca los signos de puntuación necesarios.

..... María ha estado en los Alpes.....

..... Marcial ha dejado los estudios.....

..... Macarena tiene más de 40 años.....

..... Manuel quiere irse a vivir a Sudáfrica.....

..... Melania vuelve a vivir con su madre.....

..... Quieren llevar a Marcos a un colegio privado.....

..... Mis hermanos no saben quién es Mónica.....

..... Tienes aquí el regalo de Miguel María.....

..... Nuestras madres están preocupadas por Minerva .....

..... Mi prima Marta tiene mis raquetas de tenis.....

La exclamación total

▶▶ La exclamación total expresa nuestra actitud (sorpresa, enfado, alegría…) sobre el contenido global de una frase. No lleva elementos exclamativos (**qué**, **cuánto/a/os/as**).

¡Por fin has llegado!

¡Estás guapísima!

A menudo engloba verbos en imperativo o da un valor de imperativo a la oración.

¡Cállate!

¡Más despacio, por favor!

Exclamaciones parciales (I)

▶▶ La exclamación parcial con **qué** expresa nuestra actitud sobre la intensidad de un adjetivo o de un adverbio. En estas frases, la partícula **qué** (a veces acompañada por una preposición) siempre lleva acento gráfico (tilde). El verbo, muchas veces, no aparece y se sobreentiende.

● *Este piso cuesta 350 euros al mes.*
○ *¡**Qué** barato (es)!* (adjetivo)

● *Llevan encerrados en el despacho del jefe desde las 10 de mañana.*
○ *¡**Qué** extraño (me parece eso)!* (adjetivo)

● *Vivo a 65 km de aquí.*
○ *¡**Qué** lejos!* (adverbio)

También llevan la partícula **qué** las frases con la estructura **qué** + sustantivo + **tan** / **más** + adjetivo. El verbo se puede elidir también en estas frases.

*¡**Qué** <u>vacaciones</u> **más** <u>maravillosas</u> (hemos pasado)!*

*¡**Qué** <u>día</u> **tan** <u>horrible</u> (hemos tenido)!*

Dependiendo del contexto, también se puede elidir la segunda parte de la expresión, pero puede ser difícil saber la intención del hablante.

*¡**Qué** <u>vestido</u>!* (=¡Qué vestido tan feo / tan bonito…!)

🔴 **Atención:** también se puede usar la estructura **vaya** + sustantivo + **más** + adjetivo.

*¡**Vaya** <u>vaca</u> **más** <u>grande</u>!*

2 REACCIONES PREVISIBLES

Completa los siguientes diálogos de la manera que te parezca más previsible.

chico | bonito | plato | alto | caro
delgado | grande | obra

1. ● Mira el precio de este vestido: ¡2450 euros!
   ○ ¿Qué ....!

2. ● Tiene un piso de 340 metros cuadrados.
   ○ ¡Qué ....!

3. ● ¡Qué vestido tan....................!
   ○ ¿Te gusta? Es nuevo.

4. ● ¡Qué .... estás, Lucio!
   ○ No, no, estoy en mi peso de siempre: 60 kilos.

5. ● ¡Qué mujer tan....................!
   ○ Sí, en su familia todo el mundo mide más de metro ochenta.

6. ● ¿Qué tal el teatro?
   ○ ¡Dios mío! ¡Qué .... más aburrida!

7. ● ¡Vaya .... más extraño! Sardinas con mermelada de naranja...
   ○ Pues a mí no me ha desagradado...

Exclamaciones parciales (II)

▶▶ La exclamación parcial con **cuánto/a/os/as** expresa nuestra actitud sobre una cantidad o intensidad. En estas frases, **cuánto/a/os/as** lleva siempre acento gráfico y el verbo, muchas veces, no aparece porque se sobreentiende.

> *¡**Cuánta** gente (hay)!*

> *¡**Cuántas** bolsas (llevas)!*

Cuando la cantidad es referida a un sustantivo, **cuánto/a/os/as** concuerda en género y número con ese sustantivo. Cuando no se refiere a un sustantivo en concreto, se usa **cuánto**.

> *¡**Cuánto** público (hay)! Esta obra es un éxito.*

> *¡**Cuánta** arena (hay)! ¿Por qué no os limpiáis los pies cuando salís de la playa?*

> *¡**Cuánto** habéis tardado! Lleváis tres horas fuera.*

> ¡Cuántos perros tenéis! ¿Vais a montar una perrera?

▶▶ Con **qué + poco/a/os/as** (+ sustantivo) expresamos nuestra actitud sobre una cantidad o intensidad bajas.

> *¡**Qué poco** <u>dinero</u> (queda)! No sé qué vamos a comprar con esta miseria.*

> *¡**Qué poco** duerme este niño! Se va a poner enfermo.*

▶▶ Con **cómo** + verbo llamamos la atención sobre la forma, la cantidad o la intensidad en la que alguien hace algo.

> *¡**Cómo** se ríe esa mujer, parece una gallina!*

---

3 ## NUEVOS EN LA CIUDAD

Séverine y Phil acaban de llegar a la ciudad y buscan varias cosas en la prensa local. Relaciona los anuncios con sus comentarios.

A Conferencia: "Matemáticas y Trigonometría en la agricultura moderna". Auditorio municipal. Viernes 20:00 h. Entrada libre.

B Se buscan relaciones públicas para discoteca de moda. Horario nocturno jueves, viernes y fines de semana, de 10 de la noche a 6 de la mañana. www.ibizalanoche.dif

C Vendo coche de 10 años. 130 000 km. 2000 €. Llamar tardes. 690690005.

D ■ Cine Odeón. Sesión de cine experimental con la película "Los siete elementos". 180 min.

E Regalo 8 cachorros de Fox Terrier. Solo tienen dos semanas. Más información en bea@correitos.dif

F Piso en alquiler de 2 habitaciones. 45 m². A 35 minutos del centro. 450 €/mes. Referencia 43576

G Se alquila piso de 4 habitaciones. A dos minutos del centro. 1400 €/mes.

H Se necesita ayudante de biblioteca. Tardes de 5 a 7. 400 € al mes.

1. ● ¡Qué lejos y qué pequeño!
○ Ya, ¡pero qué precio tan bueno!

2. ● ¡Vaya, cómo me interesa!
○ Sí, es verdad, pero ¡qué larga es!

3. ● ¡Qué trabajo tan chulo!
○ ¡Pero que horario tan malo! ¡Y qué poco se duerme!

4. ● ¿Has visto el tema? ¡Vaya aburrimiento!

5. ● ¡Cuántos kilómetros tiene!
○ ¡Y qué viejo!

6. ● ¡Qué bien situado!
○ ¡Y cuántas habitaciones!
● Ya, ¡pero qué caro!

7. ● ¡Qué tranquilo este trabajo! ¡Y cuánto tiempo libre!
○ Sí, pero ¡qué poco pagan!

8. ● ¡Qué pequeñitos!
○ ¡Y cuántos son!

4 ¡VAYA COMPAÑERAS DE PISO!

Gema comparte piso con dos compañeras, pero tiene muchos problemas y se lo está contando a una amiga. Completa su conversación con **qué, cuánto/a/os/as, qué poco/a/os/as**

1. ● Es que mi compañera Chelo pasa la aspiradora y quita el polvo tres veces al día.

○ ¡Vaya! ¡.................. maniática de la limpieza! ¿no?

2. ● Y para comer solo toma una rebanada de pan y un zumo de naranja.

○ ¿Solo eso? ¡.................. come!

3. ● Pues mi otra compañera, Rocío, lo único que dice es "buenos días" y "hasta mañana".

○ ¡Jo! ¡Pues .... se comunica!

4. ● Sí, pero lo peor son sus gatos. ¡Tiene tres!

○ ¡ .... pelo debe de haber!

5. ● Sí, y además son unos gatos gordos y antipáticos.

○ ¡Pues .... rollo!

6. ● No sé... ¿Tú crees que es normal un piso así?

○ No, qué va ¡.................. compañeras tan raras tienes!

MUNDO PLURILINGÜE

Traduce estas frases a tu lengua o a otras que conoces y fíjate en lo que ocurre con las partículas **qué** y **cuánto**. ¿Funcionan igual? ¿Qué cambia?

> ¡Qué coche!

> ¡Qué guapa!

> ¡Qué extraña es esta casa!

> ¡Qué persona tan maravillosa!

> ¡Cuánta gente!

> ¡Cuánto has tardado!

> ¡Cuántas plantas! Este jardín está precioso.

> ¡Cuánta paciencia hay que tener!

您好！

¡Hola!

مرحبا

El infinitivo

Los verbos tienen tres formas no personales, es decir, formas que no se conjugan: el infinitivo, el gerundio y el participio.

INFINITIVO	GERUNDIO	PARTICIPIO
hablar	hablando	hablado
conocer	conociendo	conocido
vivir	viviendo	vivido

Estas formas pueden aparecer combinadas con otros verbos formando tiempos compuestos y perífrasis. Cuando aparecen solas funcionan, respectivamente, como sustantivo, adjetivo y adverbio.

El infinitivo, por sí solo, funciona como un sustantivo y, por lo tanto, puede tener la función de sujeto o de complemento directo de una oración.

> *Dormir* ocho horas *es fundamental para* *sentirse* *bien.*

> *Mis hijos adoran* *leer* (= Adoran la lectura)

En estos casos, puede tener sus propios complementos.

> *Estudiar* idiomas *es necesario hoy en día* (COD)

> *Es fundamental* *explicarles* claramente las cosas a los niños (complemento de modo, COD y COI)

Atención: los pronombres de COD y COI y reflexivos se colocan después del infinitivo, formando una sola palabra (ver Unidad 6).

> *Será mejor* *explicárselo* *otra vez.*

> *No sirve de nada* *preocuparse* *por ese tema.*

También es frecuente el uso del infinitivo en lugar del imperativo en instrucciones y órdenes, sobre todo escritas, de carácter no personal, es decir, no dirigidas a una persona en particular.

> *No* *aparcar.*

> *Seleccionar* *el producto e* *introducir* *el dinero en la ranura.*

1 PAREJAS DE VERBOS

No son exactamente contrarios o complementarios, pero podemos decir que...

1. Lo "contrario" de reír es: ....

2. Lo "contrario" de nacer es: ....

3. Lo "contrario" de empezar es: ....

4. Lo "contrario" de perder es: ....

5. Lo "contrario" de amar es: ....

6. Lo "complementario" de comprar es: ....

7. Lo "complementario" de dar es: ....

8. Lo "contrario" de saber es: ....

9. Lo "contrario" de hacer es: ....

10. Lo "contrario" de sentarse es: ....

11. Lo "contrario" de encender es: ....

12. Lo "contrario" de tapar es: ....

13. Lo "contrario" de subir es: ....

14. Lo "contrario" de montar es: ....

2 NOS GUSTA VIVIR EN EL BARRIO

Las partes subrayadas funcionan como sujetos o como complementos de objeto directo. Transforma las frases usando un infinitivo para obtener un significado equivalente o parecido.

1. Nos gusta la vida que llevamos en el barrio.

....

2. Las comidas en familia son muy frecuentes en la mayoría de las culturas latinas.

....

3. Los conocimientos de anatomía son importantes para cualquier masajista.

....

4. El gobierno ha aprobado la subida de los impuestos a los más ricos.

....

3 PORRUSALDA

En esta receta, las instrucciones se dan en forma impersonal. Encuentra qué verbos se pueden formular en infinitivo para dar la receta a modo de instrucción y reescríbela modificando lo que sea necesario.

Ingredientes. Para 6 personas

- 1 kg de bacalao
- 6 puerros medianos
- ¾ kg de patatas
- 4 cucharadas soperas de aceite
- 2½ litros de agua

Elaboración

Se pone el bacalao en remojo en agua fría la víspera. Se cambia de cazo y de agua varias veces, para que quede bien desalado. Se mete el bacalao desalado en ½ litro de agua fría y se separa cuando rompe a hervir. Se le quitan entonces las espinas y la piel y se conserva el agua donde ha cocido. Aparte, en un cazo, se echa el aceite, se calienta y se echan los puerros partidos en trozos, se rehogan un poco sin que tomen color (unos 5 minutos) y se añaden las patatas peladas y cortadas en cuadraditos, que también se rehogan un poco. Se incorporan los 2 litros de agua (fría) y se deja cocer durante 35 minutos más o menos (según la clase de patatas). Estas deben quedar enteras. Se agrega entonces el bacalao con su agua y se deja cocer todo junto otros 10 minutos. Se rectifica de sal y se sirve en sopera.

Poner el bacalao....

El gerundio (I)

▶▶ El gerundio es otra forma invariable y se forma agregando la terminación **-ando** a la raíz de los verbos terminados en **-ar** y **-iendo** a los verbos terminados en **-er/-ir**.

trabaj**ar** → trabaj**ando**

comprend**er** → comprend**iendo**

escrib**ir** → escrib**iendo**

▶▶ Hay gerundios irregulares. Se trata de los mismos verbos con las irregularidades **e-i / o-u** en las terceras personas del pretérito indefinido.

seguir (**siguió**) → s**i**guiendo

dormir (d**u**rmió) → d**u**rmiendo

▶▶ Cuando la raíz de un verbo de 2.ª o 3.ª conjugación acaba en vocal, en lugar de la terminación **-iendo**, aparece la terminación **-yendo**.

caer → ca**yendo**

huir → hu**yendo**

Atención: el gerundio de **ir** es **yendo**.

4 PRACTICANDO, QUE ES GERUNDIO

En español existe una respuesta, algo impertinente, a la pregunta "¿Y esto cómo se...?" que consiste en usar el gerundio. Completa siguiendo el ejemplo.

1. ¿Y aquí cómo se habla? Hablando.

2. ¿Y aquí cómo se duerme? ....

3. ¿Y aquí cómo se vive? ....

4. ¿Y esto cómo se cuenta? ....

5. ¿Y por aquí cómo se anda? ....

6. ¿Y de aquí cómo se huye? ....

7. ¿Y tú cómo escribes? ....

8. ¿Y cómo te caíste? ....

9. ¿Y cómo vas hasta allá? ....

10. ¿Y tú cómo pides? ....

11. ¿Y cómo perdiste? ....

12. ¿Y esta cosa cómo se lee? ....

El gerundio (II)

» El gerundio por sí solo expresa el modo en que alguien hace algo o la simultaneidad de dos acciones.

> *Se fue **llorando**.*

> *Siempre voy hasta el centro de la bahía **nadando**.*

En esta función de adverbio, el gerundio también admite complementos.

> *El grupo entró en la plaza **cantando** el himno nacional.*

Atención: la ausencia de una acción simultánea se expresa mediante **sin** + infinitivo.

> *Díselo **sin enfadarte**.*

> *El grupo entró en la plaza **sin hacer** ruido.*

» El gerundio también se usa para situar en el espacio, con expresiones de movimiento.

> *La plaza está **bajando** por esta calle, a unos trescientos metros.*

Atención: el gerundio no tiene en español valor de frase relativa ni se puede usar para acciones posteriores a la de la frase principal.

> *~~Tenemos una caja **conteniendo** dos ítems diferentes.~~*

> *Tenemos una caja **que contiene** dos ítems diferentes.*

> *~~Pasó 2 años en Turquía **volviendo** a Argentina en 2003.~~*

> *Pasó 2 años en Turquía **y volvió** a Argentina en 2003.*

Atención: los pronombres átonos se colocan después del gerundio, formando una sola palabra (ver Unidad 6).

> *Vive **quejándose** por todo.*

5 EL MOVIMIENTO SE DEMUESTRA ANDANDO

Completa los huecos con formas del gerundio de los verbos siguientes.

trabajar	comer	descansar.	quejarse
actuar	tocar.	hablar	contar.
escuchar	cuidar	nadar.	subir

1. ● ¿Cómo puedo adquirir más fluidez?

   ○ Pues .... con nativos, ... la radio...

2. Carlos es muy divertido, se pasó el viaje **contanolo** chistes.

3. Se pagó los estudios .... de camarera, y después .... niños.

4. Hay una única manera de aprender a nadar: ¡**Nadando**!

5. ¿La librería Ruiz y Peña? Sí, está aquí, ... por esta calle, en la segunda esquina.

6. .... no es como resolverás tus problemas: actúa.

7. ● ¿Y Luisa?

   ○ Estaba muy cansada, prefirió quedarse en casa **descansando**

8. El otro día te vi **tocando** el arpa; no sabía que eras músico.

9. Lucas no tiene modales **tocando**: mastica con la boca abierta y hace un ruido horrible.

10. No me quiero retirar del teatro, quiero morir ....

Las perífrasis

Las perífrasis verbales son construcciones que se forman con dos o más verbos: uno conjugado (cuyo significado original se ve modificado) y otro en forma no personal (infinitivo, gerundio o participio). Estos verbos pueden estar conectados por una preposición o por otro tipo de nexo.

> *¿**Sigues viviendo** en la misma casa?*

> *Este verano **voy a quedarme** en la ciudad.*

> ***Hay que presentar** la solicitud antes del 15 de mayo.*

Atención: los verbos que forman las perífrasis funcionan como una unidad, y los pronombres personales átonos pueden ir delante del verbo conjugado o después de la forma impersonal formando una única palabra.

> ***Te lo** voy a devolver pronto. / Voy a devolvér**telo** pronto.*

En ningún caso colocamos pronombres entre los verbos que forman la perífrasis.

> *~~Voy a **te lo** devolver.~~*
> *~~**Vóytelo** a devolver.~~*

Las perífrasis pueden encadenarse.

> ***Está dejando de fumar*** (estar + gerundio / **dejar de** + infinitivo)
> *¿**Va a seguir trabajando** en ese proyecto?* (**ir a** + infinitivo / **seguir** + gerundio)

Perífrasis de infinitivo (I)

Hay una serie de perífrasis de infinitivo que expresan necesidad u obligatoriedad: **tener que** + infinitivo / **deber** + infinitivo / **hay que** + infinitivo.

> ***Tenemos que** acabar el informe antes de las seis.*

> ***Debes pensar** más antes de actuar.*

Aunque el significado primero de estas perífrasis es que algo es necesario u obligatorio, se utilizan muchas veces para dar consejos o sugerencias.

> ***Tienes que ir** a San Sebastián, es una ciudad preciosa.*

> ***Hay que pasar** más tiempo con la familia y olvidarse del trabajo.*

Atención: la perífrasis **deber de** + infinitivo expresa probabilidad y no obligación.

> ***Debe de comprar** el pan aquí* (= Imagino que compra el pan aquí.)

Atención: la perífrasis **hay que** + infinitivo es impersonal. No se refiere a una persona en particular, sino que se trata de una obligación o necesidad presentada como general.

> ***Hay que llamar** a la puerta antes de entrar* (= Todo el mundo debe llamar.)

---

6 **¿QUÉ HAY QUE HACER?**

A. Escribe un consejo para conseguir estas cosas.

1. Para tener unos dientes blancos.

Hay que...

2. Para tener un cabello sano y fuerte.

Hay que ....

3. Para tener una piel sana.

Hay que ....

4. Para quitar un chicle pegado en la ropa.

Hay que ....

5. Para llegar a los 100 años.

Hay que ....

6. Para llegar a los 50 años de casados.

Hay que ....

7. Para tener plantas siempre verdes y exuberantes.

Hay que ....

8. Para no tener acidez de estómago.

Hay que ....

B. Escucha ahora a varias personas dando sus propios consejos. ¿Coinciden con los tuyos?

14

Perífrasis de infinitivo (II)

Hay una serie de perífrasis de infinitivo aspectuales: expresan inminencia, comienzo, repetición, interrupción y finalización de la acción expresada mediante el infinitivo.

Ir a + infinitivo

Se utiliza para hablar de acciones futuras vinculadas al momento presente y con las que el hablante se "compromete".

> *Vas a mudarte en estos días, ¿verdad?*

> *Voy a llamarlo ahora mismo y voy a contarle todo lo que ocurrió.*

Estar a punto de + infinitivo

Se utiliza para indicar que la acción es inminente, que va a ocurrir enseguida.

¡Ssshhh! Está a punto de empezar la película...

Comenzar a + infinitivo / **empezar a** + infinitivo

Se utilizan para indicar el comienzo de una acción.

> *El partido se suspendió porque **comenzó a nevar**.*

> *¿Cuándo **empezaste a estudiar** español?*

Volver a + infinitivo

Indica que una acción se repite.

> *Cuando se jubiló, **volvió a estudiar** idiomas.*

> ***Volveré a llamarlo** la semana próxima.*

Dejar de + infinitivo

Indica la interrupción de una acción.

> *¡Mira! **¡Ha dejado de llover!*** (= ya no llueve)

> *¡**Deja** ya **de preocuparte** por todo!* (= no te preocupes más)

Acabar de + infinitivo / **Terminar de** + infinitivo

Indican el final de una acción.

> *¡Por fin **han terminado de poner** el pavimento!*

> *Aún no **he acabado de leer** el libro que me prestaste.*

Atención: acabar de + infinitivo (en presente o en imperfecto) se usa también para referirse a una acción reciente o inmediatamente anterior a otra pasada.

> ***Acabo de llamar** a Eduardo. Me ha dicho que ya ha acabado de corregir los borradores.* (= He llamado a Eduardo hace un momento y...)

> ***Acababas de salir** cuando te llamaron.* (= Saliste y justo después te llamaron.)

7 ACABO DE TERMINAR

Reemplaza la parte subrayada en estas frases por una perífrasis de infinitivo.

1. La película <u>empieza en unos segundos</u>.

La película está a punto de empezar .

2. En tu lugar, yo llevaría un paraguas... mira esas nubes: <u>va a llover de un momento a otro</u>.

....

....

3. Bueno, <u>ya está: he lavado</u> los platos. ¿Qué hago ahora?

....

....

4. <u>Hace un momento han llamado</u> de la agencia, querían hablar contigo.

....

....

5. <u>Carla comenzó sus estudios</u> en Madrid, pero luego se pasó a la Universidad de Málaga.

....

....

6. ● ¿Tardarás mucho en acabar el informe?
○ No, <u>enseguida lo termino</u>, espérame dos minutos...

....

....

7. ¡<u>No molestes más</u> a los niños!

....

....

8. ● ¿Siguen juntos Orlando y Florencia?
○ ¡No! ¿No lo sabías? Se separaron hace ya cinco años... Hace poco ella <u>se casó otra vez</u>.

....

....

9. ● ¿Desde cuándo fumas?
○ Hace más de diez años, pero la semana próxima <u>comenzaré</u> un tratamiento <u>para no fumar más</u>.

....

....

¿Y no fumarás nunca más?

Exacto. Hasta la semana siguiente, al menos...

10. ● ¿A qué hora te fuiste finalmente de la oficina?
○ Pues a eso de las siete. Tuve que esperar hasta que <u>ya no llovió más</u>.

....

....

Perífrasis de gerundio

Estar + gerundio

Usamos **estar** + gerundio en presente cuando presentamos una acción o una situación presente como en desarrollo.

> *Marcelo **está trabajando** en una carnicería.*
> (= Actualmente trabaja en una carnicería)

A veces, podemos expresar lo mismo usando solamente un verbo en presente y un marcador temporal (**últimamente, desde hace algún tiempo**…).

> *Desde hace algún tiempo duermo muy mal.*

Cuando queremos marcar que la acción se está desarrollando en el momento preciso en el que estamos hablando, solo podemos usar **estar** + gerundio.

> *En este momento no puedo ayudarte, **estoy planchando**.*
> ~~*En este momento no puedo ayudarte, **plancho**.*~~

Llevar + **cantidad de tiempo** + gerundio

Expresa el tiempo que ha pasado desde el comienzo de una acción que aún continúa.

> ***Lleva** quince años **trabajando** en esta empresa*
> (= Hace 15 años que trabaja en esta empresa.)

> ***Llevamos** más de un año desarrollando este proyecto.* (= Hace más de un año que desarrollamos este proyecto.)

Atención: a diferencia de **estar** + gerundio, esta perífrasis, por su significado, no admite el uso del perfecto ni del indefinido.

> ***Llevo** dos años **viviendo** con ella.*
> ***Llevaba** dos años **viviendo** con ella.*
> ~~*He llevado dos años viviendo con ella.*~~
> ~~*Llevé dos años viviendo con ella.*~~

Seguir + gerundio

Indica que una acción no se ha interrumpido.

> ***Siguen yendo** a la casa de la montaña todos los veranos.*

Atención: recuerda que para marcar la ausencia de acciones, en las perífrasis con **llevar** y **seguir** se usa **sin** + infinitivo.

> ***Siguen sin saber** la verdad, es increíble.*

> ***Llevan sin venir** a casa cuatro años.*

8 ¡LLEVO DOS HORAS ESPERÁNDOTE!

Reemplaza la parte subrayada en estas frases por una perífrasis de gerundio.

1. <u>Hace dos horas que te espero.</u>

Llevo dos horas esperándote.

2. <u>Últimamente como</u> demasiados dulces.

....

....

3. <u>¿Todavía vas</u> al gimnasio o lo has dejado?

....

....

4. ¿Ricardo? ¡<u>Hace ya un año que vive en Dublín!</u>

....

....

5. Cuando volví al país no pude ver a Felipe: <u>estaba de viaje</u> por el interior.

....

....

6. ● ¿Es cierto que te fuiste de la empresa?

○ No: <u>trabajo todavía</u> allí.

....

....

7. <u>Aún no tengo</u> noticias de Lucas.

....

....

8. <u>Desde hace</u> seis meses <u>busco</u> un piso para alquilar.

....

....

9 TODO SIGUE IGUAL

Completa las frases usando los elementos necesarios para construir perífrasis.

> a   de   que
>
> buscar/ndo   hablar/ndo   hacer/iendo
> hacer/iendo   comprar/ndo   esperar/ndo
> ser/iendo   salir/endo   ir / yendo
> fumar/ndo   pedir / pidiendo

1. ● ¿Tus padres tienen todavía aquel coche antiguo tan bonito?

○ Sí, y siguen .... de vacaciones.

2. ● ¿Sigues trabajando en la hostelería?

○ Sí, pero estoy .... empleo en otro sector.

3. ● ¿Seguís enfadados con Bernardo?

○ Sí, nunca volvimos .... con él.

4. ● ¿Qué tal la nueva novia de Bartolo?

○ ¿Nueva? ¡Llevan .... 2 años!

5. ● Oye, ese jersey que llevas es un poco viejo, ¿no?

○ Sí, tengo .... ropa.

6. ● Has corrido 10 kilómetros en una hora, estás muy en forma.

○ Sí, desde que dejé .... y empecé .... deporte soy otro.

7. ¿Estás .... algún régimen? Te veo más delgado.

8. ● ¿Los señores querrán tomar algo?

○ Gracias, ahora mismo acabamos .... dos cafés.

9. ● ¿Qué hora es?

○ No sé, deben .... las tres o así.

10. ● ¿Puedo empezar a comer, mamá?

○ No. Hay .... hasta que todo el mundo está en la mesa.

ESTRATEGIA

En este capítulo hemos clasificado las perífrasis en perífrasis de infinitivo y de gerundio, pero es también muy importante entender su significado y prestar atención a las preposiciones y nexos que contienen.

MUNDO PLURILINGÜE

Traduce las siguientes frase a tu lengua o a otra que conozcas bien. ¿Se usan formas personales equivalentes? ¿Hay preposiciones? ¿Qué cambia?

> Me encanta vivir aquí.

> Llorando no vas a conseguir nada.

> Continúas cometiendo los mismo errores

> Ha vuelto a marcar un gol, ¡es el mejor!

> Deja de marearme, me tienes cansado.

> Lo importante es participar.

您好！

مرحبا

¡Hola!

Formas del presente (I)

⏩ Los verbos regulares presentan las siguientes formas.

| | 1.ª Conj. | 2.ª Conj. | 3.ª Conj |
	escuchar	leer	escribir
Yo	escucho	leo	escribo
Tú	escuchas	lees	escribes
Él / ella / usted	escucha	lee	escribe
Nosotros / nosotras	escuchamos	leemos	escribimos
Vosotros / vosotras	escucháis	leéis	escribís
Ellos / ellas / ustedes	escuchan	leen	escriben

⏩ El presente de indicativo puede tener diferentes tipos de irregularidades: vocálicas, consonánticas y verbos con irregularidades propias. En los verbos con irregularidades vocálicas, estas afectan a la última vocal de la raíz.

e → ie	o → ue	e → i
PENSAR	VOLAR	PEDIR
pienso	vuelo	pido
piensas	vuelas	pides
piensa	vuela	pide
pensamos	volamos	pedimos
pensáis	voláis	pedís
piensan	vuelan	piden
Presentan esta irregularidad: **querer, sentar, empezar, comenzar, perder, preferir, sentir** y muchos otros.	Presentan esta irregularidad: **poder, dormir, morir, recordar, costar, volver, encontrar** y muchos otros...*	Presentan esta irregularidad únicamente algunos verbos de la 3.ª conjugación: **seguir, repetir, competir, reír...**

*La **u** del verbo jugar se trasforma también en **ue**: j**ue**go, j**ue**gas, j**ue**ga, jugamos, jugáis, j**ue**gan.

⏩ Existen también varios tipos de irregularidades consonánticas e irregularidades de la 1.ª persona del singular (yo).

Hay una g antes de la terminación -o de la primera persona del singular (yo)	En los verbos que terminan en -acer, -ecer, -ocer y -ucir aparece -zc- en la primera persona del singular (yo)	Otros verbos con primera persona del singular (yo) irregular
poner → pongo salir → salgo valer → valgo traer → traigo caer → caigo ...	nacer → nazco conducir → conduzco conocer → conozco parecer → parezco ...	dar → doy caber → quepo ver → veo ...

💡 **Atención:** hay algunos verbos que presentan, además de la irregularidad +**g**, alteraciones vocálicas **e →ie** o **e →i**.

Tener: ten**g**o, t**ie**nes, t**ie**ne...
Venir: ven**g**o, v**ie**nes, v**ie**ne...
Decir: di**g**o, d**i**ces, d**i**ce...

⏩ Existen también algunas irregularidades especiales.

haber	estar	ir	ser	hacer	saber
he	estoy	voy	soy	hago	sé
has	estás	vas	eres	haces	sabes
ha	está	va	es	hace	sabe
hemos	estamos	vamos	somos	hacemos	sabemos
habéis	estáis	vais	sois	hacéis	sabéis
han	están	van	son	hacen	saben

1 SI LO QUIERES HACER, LO HACES

Completa estas frases siguiendo los modelos.

1. Si quieres venir, _vienes_.

2. Si quiero traer el pan, _lo traigo_.

3. Si queréis empezar, ...

4. Si queremos volver, ...

5. Si quiero dormir, ...

6. Si ustedes quieren soñar, ...

7. Si quiere repetir, ...

8. Si quieres traer al perro, ...

9. Si queréis conocer la ciudad, ...

10. Si queremos ver la tele, ...

11. Si quiero caerme, ...

12. Si ustedes quieren salir, ...

13. Si quiere jugar, ...

14. Si queréis recordar la experiencia, ...

15. Si queremos encontrar la salida, ...

16. Si quiero perderme, ...

17. Si ustedes quieren competir, ...

18. Si quiere seguir, ...

19. Si quieres conducir, ...

20. Si queréis dar el regalo, ...

ESTRATEGIA

No existe una manera de prever si un verbo presenta o no un cambio vocálico. Para recordar qué verbos tienen este tipo de irregularidad, puede ser útil memorizar algunas frases o expresiones que los contengan, como por ejemplo, "Si quieres, puedes".

2 EL POMBERO

Este texto es una descripción de El Pombero, un personaje de la mitología guaraní. Coloca en los huecos los verbos de las etiquetas conjugados en presente de indicativo.

Pombero

El Pombero o Pomberito .... un personaje de la mitología guaraní. Se lo representa como un hombre bajo, fuerte y moreno con vello abundante y unos brazos tan largos que los arrastra por el suelo. A veces .... un enorme sombrero de paja y .... con ropas viejas. Sus pies se pueden dar la vuelta para confundir a aquellos que .... seguirlo. .... la boca grande y alargada y los dientes muy blancos.

| ser | tener | vestirse | querer | llevar |

El Pombero puede ser amigo o enemigo del hombre, según la conducta de este. Si el hombre .... tenerlo como aliado, ... dejarle ofrendas por la noche, como tabaco, miel o "kaña", una bebida alcohólica originaria de Paraguay. Generalmente, la gente del campo le .... favores, como hacer crecer los cultivos o cuidar de los animales de corral; pero, si alguien le .... un favor, le .... no olvidarse de hacer la misma ofrenda durante treinta días, porque si no .... de hacerlo, el Pombero podría enfurecerse.

| acordarse | desear | convenir | pedir |

| deber | pedir |

Según la creencia, no se .... pronunciar su nombre –sobre todo de noche–, hablar mal de él o silbar por la noche, porque eso lo .... enojar. Para no ofenderlo, la gente prefiere nombrarlo en voz baja y .... pronunciar su nombre en las reuniones nocturnas.

> deber   evitar   poder

Inicialmente era considerado un genio protector de las aves de la selva. Sin embargo, a medida que el mito evoluciona, ... nuevas habilidades, como la de mimetizarse y adoptar la forma de cualquier animal. También es descrito como un personaje travieso que .... la casa, ... los objetos, rompe o estropea los aparatos, ... a los animales, roba tabaco, miel, huevos o gallinas.

> desordenar   perder   asustar   adquirir

Adaptado de http://es.wikipedia.org/wiki/Pombero

Usos del presente

▶▶ Usamos el presente de indicativo con valor atemporal; para expresar una verdad general independiente del tiempo, como en las definiciones (1), los refranes (2) y las afirmaciones de carácter científico (3).

> *La vaca **es** un mamífero. (1)*

> *No por mucho madrugar **amanece** más temprano. (2)*

> *Las plantas de la familia de las Rosáceas **tienen** flores de cinco pétalos. (3)*

▶▶ También para referirnos al presente cronológico, es decir, para afirmar o preguntar sobre cosas que presentamos como ciertas en el momento actual.

> *¿Tu hermana **vive** en Múnich?*

> ***Estoy** en el Café Serrano.*

▶▶ Para hablar de situaciones que empezaron en el pasado y que se prolongan hasta ahora.

> *Hace diez años que **trabaja** en esta empresa.*

▶▶ Para expresar condiciones referidas al presente o al futuro cronológico, en oraciones introducidas por **si**, cuando presentamos esa condición como algo realizable o posible.

> *Si **tienes** frío, cierra la ventana. (ahora)*

> *Si **llegas** tarde, no me despiertes, ¿vale? (después)*

▶▶ Para hablar de hábitos o acciones que se repiten regularmente.

> *María **cena** con su novio todos los días.*

▶▶ Para hablar del futuro cuando queremos presentar la información como segura, por ejemplo, cuando hablamos del futuro programado o del futuro inmediato.

> *Mañana **viajo** a Barcelona.*

> *Ahora mismo **salgo**.*

▶▶ Para dar instrucciones.

> ***Sigues** todo recto por esa calle y después **tomas** la segunda a la izquierda...*

▶▶ Con valor de pasado. Para relatar, normalmente por escrito, en presente histórico.

> *En 1396, los ejércitos otomanos de Beyazid I **vencen** a las fuerzas de Segismundo de Hungría.*

3 LA MONJA ALFÉREZ

Esta es la historia de Catalina de Erauso, una famosa monja soldado española. Modifica los verbos que aparecen marcados en infinitivo y conjúgalos en presente.

Fue hija de Miguel de Erauso y de María Pérez de Gallárraga y Arce. A muy corta edad **(ser)** .... internada en el convento de San Sebastián el Antiguo. Sin embargo, parece que su carácter pendenciero y violento no era muy apropiado para la vida enclaustrada. Tras una riña con una novicia que se había atrevido a golpearla **(ser)** .... confinada a su celda, de la que **(escapar)** .... disfrazada de campesino. Contaba entonces 15 años de edad. **(andar)** .... de pueblo en pueblo y **(llegar)** .... hasta Valladolid. Desde allí **(volver)** .... a Bilbao. Todo este tiempo lo **(pasar)** .... disfrazada de hombre, con el pelo corto y usando distintos nombres, como Pedro de Orive, Francisco de Loyola, Ramírez de Guzmán o Antonio de Erauso. Posteriormente **(ir)** .... a Sanlúcar de Barrameda y **(embarcar)** .... hacia América. En Perú **(alistarse)** .... como soldado bajo el mando de distintos capitanes.

En 1619, al servicio de la corona, **(luchar)** .... en la Guerra de Arauco contra los mapuches en el actual Chile, ganándose la fama de ser valiente y hábil con las armas y sin revelar que era una mujer. Con estos méritos **(alcanzar)** .... el grado de alférez. Al parecer, durante estos años se **(ver)** .... envuelta en numerosas peleas y disputas como, por otra parte, era normal entre los soldados.

(...) En 1623 **(ser)** .... detenida en Huamanga, Perú, a causa de una disputa. Para evitar su ajusticiamiento **(pedir)** .... clemencia al obispo, Agustín de Carvajal, al que le **(contar)** .... que era en realidad una mujer y que había estado en un convento. Tras un examen por parte de un conjunto de matronas, que **(determinar)** .... que era cierto que se trataba de una mujer y que además era virgen, el obispo la **(proteger)** .... y **(ser)** .... enviada a España. Allí la **(recibir)** .... el rey Felipe IV de España que le **(mantener)** .... su graduación militar y le **(llamar)** .... monja alférez, a la vez que le permitía emplear su nombre masculino. El relato de sus aventuras **(extenderse)** .... por Europa, y Catalina **(visitar)** .... Roma donde **(ser)** .... recibida por el papa Urbano VIII. El pontífice la **(autorizar)** .... a continuar vistiendo de hombre.

(extraído de http://es.wikipedia.org/wiki/Catalina_de_Erauso)

4 EL VALOR DEL PRESENTE

Completa los diálogos con los verbos en presente de indicativo. Marca si el valor del presente es pasado (P), actual (A), habitual (H), atemporal (AT) o futuro (F).

A.

● ¿ _Vienes_ (venir) con nosotros a la playa el domingo? _(F)_

○ No sé si podré, tengo mucho que hacer.

B.

● ¿........................ (jugar) a fútbol todas las semanas? ....

○ Sí, tengo entrenamiento lunes y miércoles y los sábados, partido.

C.

Es muy fácil, ... (seleccionar/usted) aquí el programa y la temperatura del lavado y para encenderla ....(presionar/usted) el botón rojo. ....

D.

Fleming .... (descubrir) la penicilina casualmente, cuando .... (observar) que las bacterias de uno de sus cultivos han muerto afectadas por un hongo. ....

E.

● ¿ A qué hora llegas a Barcelona?

○ Si no .... (haber) retrasos en los vuelos, estaré ahí a las 12:35. ....

F.

● ¿Desde dónde llamas?

○ .... (estar) en la entrada del cine, al lado de la taquilla. ....

G.

Este es un plato persa, se .... (preparar) con carne de cordero, espinacas y hierbas aromáticas. ....

5 ¿ERES UN BUEN COMPAÑERO DE TRABAJO?

A. Si quieres averiguarlo, completa las frases de este test con los verbos en presente de indicativo y contesta a las preguntas.

1) Si un compañero de trabajo .... (coger) un bolígrafo de tu mesa sin preguntarte...

a. te molesta mucho pero no .... (decir) nada porque no .... (querer) parecer agresivo.

b. le .... (decir) que por favor te pregunte antes de coger cosas de tu mesa.

c. le .... (gritar) malhumorado: "¡Deja inmediatamente mi bolígrafo en su sitio!".

d. no te molesta, al fin y al cabo los bolígrafos no .... (ser) tuyos, sino de la empresa.

2) Si .... (darse) cuenta de que un compañero tuyo no asume sus responsabilidades y llega siempre tarde al trabajo...

a. ....(ser) problema suyo. No te metes en el asunto.

b. hablas con él del tema y le .... (advertir) de que eso es perjudicial para la empresa y puede traerle problemas.

c. se lo .... (comunicar) inmediatamente al encargado de personal .

d. no dices nada y .... (aprovechar) para llegar tú también tarde.

3) Si un compañero .... (hablar) mal de otro colega o del jefe durante las pausas de trabajo...

a. .... (evitar) encontrarte con él y buscas la compañía de otras personas.

b. le dices amablemente que no te gusta hablar mal de personas que no .... (estar) presentes.

c. se lo .... (contar) todo al jefe.

d. ....(empezar) a criticar también al jefe, que te cae fatal.

4) Si un compañero te .... (pedir) que le expliques un asunto de trabajo que él no .... (entender) cómo funciona...

a. se lo explicas de mala gana e .... (intentar) no perder demasiado tiempo.

b. se lo explicas lo mejor que .... (poder). Tal vez otra vez necesites su ayuda.

c. .... (excusarte) diciendo que tú no sabes nada de eso. ¡Que se busque la vida!

d. le dices que .... (tener) que esperar a que termines tu trabajo y que después se lo explicarás, si puedes.

5) Si un colega te .... (contar) un asunto de su vida privada...

a. le agradeces la confianza y .... (mantener) la discreción.

b. le dices que no te .... (gustar) hablar de tu vida privada en el trabajo, ni que los colegas te cuenten la suya.

c. en cuanto tu colega .... (irse) al servicio, le dices a otro compañero: "¿Sabes lo que me acaba de contar...?".

d. le contestas que estás ocupado y le .... (dar) el teléfono de un psicólogo.

6) Si tienes que trabajar en un proyecto con un colega muy lento y puntilloso...

a. .... (intentar) pactar plazos razonables, pero serios; para que cada uno termine a tiempo su parte del trabajo.

b. .... (hablar) con el jefe para que te busque otro compañero de proyecto con el que seas más compatible.

c. le dices a tu jefe que .... (preferir) trabajar solo, mejor que con un incompetente.

d. intentas que le toque al otro la mayor parte del trabajo y así, si no termináis a tiempo, ... (poder) echarle la culpa.

7) Si en la fiesta de Navidad de la empresa te toca sentarte con compañeros a los que no conoces mucho...

a. lo .... (sobrellevar) lo mejor posible; pero intentas colarte a la hora del café en la mesa de los conocidos.

b. para ti no es ningún problema, te puedes relacionar con cualquiera, ... (ser) una persona sociable.

c. te pones de mal humor, no hablas con nadie y .... (marcharse) a casa en cuanto terminas de comer.

d. .... (tomarse) dos copitas de vino para animarte y empiezas a contarle chistes al jefe de Ventas.

B. Cuenta tus respuestas. ¿A qué tipo de compañero perteneces?

☐ Mayoría de respuestas A

☐ Mayoría de respuestas B

☐ Mayoría de respuestas C

☐ Mayoría de respuestas D

🔊 **C.** Escucha lo que dice este documento sobre los
15 "cuatro tipos de compañeros", toma notas y compáralo con tus resultados. ¿Estás de acuerdo con lo que dice?

Mayoría de respuestas A ....
....
Mayoría de respuestas B ....
....
Mayoría de respuestas C ....
....
Mayoría de respuestas D ....
....

> Oye, ¿tú crees en estos tests de personalidad?

> ¡Pues claro que no! Eso son tonterías.

MUNDO PLURILINGÜE

Fíjate en el uso del presente en todas las frases siguientes. ¿Funciona igual en tu lengua o en otras lenguas que conoces? ¿Qué cambia?

1. Hace cuatro años que sale con Rebeca.

2. ¿Esta tarde sales con Juan?

3. Si llegas antes de las 3.00, ve directo al hotel, ¿vale?

4. ¿Me dejas el diccionario? Es solo un segundo.

5. El que a hierro mata a hierro muere.

6. Catalina de Erauso nace en San Sebastián en 1592.

¡Hola!

您好！

مرحبا

Formas del pretérito perfecto y el pretérito indefinido

Pretérito perfecto

		viajar	perder	salir
Yo	he			
Tú	has			
Él / ella / usted	ha			
Nosotros / nosotras	hemos	viajado	perdido	salido
Vosotros / vosotras	habéis			
Ellos / ellas / ustedes	han			

Pretérito indefinido

	viajar	perder	salir
Yo	viajé	perdí	salí
Tú	viajaste	perdiste	saliste
Él /ella / usted	viajó	perdió	salió
Nosotros / nosotras	viajamos	perdimos	salimos
Vosotros / vosotras	viajasteis	perdisteis	salisteis
Ellos /ellas / ustedes	viajaron	perdieron	salieron

▶▶ El pretérito perfecto es invariable y no puede colocarse nada entre el auxiliar y el participio. Los pronombres van delante y los adverbios pueden ir antes o después, pero nunca en el medio.

> ~~He ya hablado con el jefe.~~
> Ya he hablado con el jefe.

> ~~¿Habéis lo comprendido?~~
> ¿Lo habéis comprendido?

▶▶ Existen algunos participios irregulares.

hacer → hecho	volver → vuelto
romper → roto	abrir → abierto
morir → muerto	ver → visto
escribir → escrito	poner → puesto
decir → dicho	cubrir → cubierto

…y sus derivados

▶▶ En el pretérito indefinido, la sílaba tónica en los verbos regulares está siempre en la terminación: co**mí**, co**miste**, co**mió**, co**mimos**…

▶▶ Cuando la raíz de un verbo en **-er/-ir** termina en vocal, en las terceras personas la **i** se convierte en **y**.

> leer → le**yó**/le**yeron**
> huir → hu**yó**/hu**yeron**
> oír → o**yó**/o**yeron**

▶▶ Al conjugar los verbos que terminan en **-car**, **-gar**, **-guar** y **-zar** se deben tener en cuenta las reglas ortográficas.

> bus**car** → bus**qué**
> lle**gar** → lle**gué**
> re**zar** → re**cé**
> averi**guar** → averi**güé**

▶▶ Los verbos de la tercera conjugación que en presente cambian e→ie, e→i y o→ue presentan cambios e→ie y o→u en las terceras personas.

	pedir	dormir
Yo	pedí	dormí
Tú	pediste	dormiste
Él / ella / usted	pidió	durmió
Nosotros /nosotras	pedimos	dormimos
Vosotros /vosotras	pedisteis	dormisteis
Ellos /ellas / ustedes	pidieron	durmieron

▶▶ Los siguientes verbos presentan irregularidades propias en la raíz y tienen unas terminaciones especiales independientemente de la conjugación a la que pertenezcan.

andar → anduv- conducir → conduj-* decir → dij-* traer → traj-* estar → estuv- hacer → hic-/hiz- poder → pud- poner → pus- querer → quis- saber → sup- tener → tuv- venir → vin-	-e -iste -o -imos -isteis -ieron

* Cuando la raíz de un verbo irregular acaba en **j** (**traer**, **decir** y casi todos los verbos acabados en **-cir**) la tercera persona del plural se forma con **-eron** y no con **-ieron** (conduj**eron**, dij**eron**, traj**eron**). Se conjugan así también todos los verbos terminados en **-ucir**.

1 OTROS PRIMERO

Completa las frases como en el modelo.

1. Antonio ha estado en Turquía pero yo <u>estuve</u> primero.

2. Analía ha venido aquí varias veces pero vosotros .... primero.

3. Nosotros hemos dicho todo, pero ellos lo .... primero.

4. Alfredo ha pedido la palabra, pero ellos la .... primero.

5. Arantxa se ha dormido pronto pero tú .... primero.

6. Andrés ha sabido hoy la noticia, pero tú la .... primero.

7. Azucena ha .... el trato, pero tú lo rompiste primero.

8. Nosotros hemos .... pero ellos volvieron primero.

9. Aparicio ha .... interés pero vosotros pusisteis más.

10. Amparo ha .... cosas interesantes, pero vosotros dijisteis más.

11. Amalia me ha querido mucho, pero tú me .... más.

12. Nosotros hemos traído muchas, pero ellos .... más.

13. Ambrosio ha supuesto mucho para esta empresa, pero yo .... más.

14. Alberto ha tenido mucha importancia, pero Aldonza .... más.

15. Arístides ha hecho mucho por ti, pero nosotros .... más.

16. Alejandro nos ha .... muchas puertas, pero nosotros le abrimos más a él.

17. Nosotros hemos .... un espacio muy grande, pero nuestros padres lo cubrieron mejor.

18. Nosotros hemos .... el mundo, pero otros lo describieron antes.

Uso del pretérito perfecto

Usamos el pretérito perfecto para referirnos a acciones o acontecimientos ocurridos en un momento pasado no definido. No se dice cuándo ha ocurrido la acción porque no interesa o no se sabe. En estos casos, puede ir acompañado de marcadores como **ya / todavía no /siempre/ nunca / alguna vez /una vez / dos veces / muchas veces.**

- ● *¿Ya has reservado la habitación para el viaje?*
- ○ *¡Uy, no! ¡Todavía no! Hoy mismo me ocupo de eso…*

Nunca he comido centollo.

¿Has hecho alguna vez turismo rural?

Siempre me ha gustado enviar tarjetas de felicitación para las fiestas.

También usamos el pretérito perfecto para situar una acción en un tiempo que tiene relación con el presente o está muy vinculado al momento actual.

Este invierno ha llovido muchísimo. ("ahora" está dentro de "este invierno")

Hoy me he sentido mal toda la tarde. ("ahora" está dentro de "hoy")

Hace muy poco que se ha enterado de la noticia.

Atención: esta descripción del uso del pretérito perfecto es propia del español estándar peninsular. En las variantes del español de América (y en ciertas regiones de España) su uso está menos extendido y es sustituido –sobre todo en la lengua oral y en el caso 2 – por el pretérito indefinido.

Este año trabajé muchísimo, ¡necesito vacaciones ya!

¿Fuiste al centro hoy?

ESTRATEGIA

El español, considerando que es una lengua hablada por varios cientos de millones de personas, es una lengua muy unitaria. Existen algunas diferencias importantes entre las variedades, pero si hablas una variante culta de cualquiera de estas variedades todo el mundo te entenderá perfectamente.

2 ¿QUÉ TE HA PASADO?

Completa con la forma del pretérito perfecto de estos verbos.

perder   decir   distraerse   dormir   hacer

ponerse   quemarse   romperse   sonar

1. ● Tienes mala cara... ¿qué te pasa?

   ○ Nada... mis vecinos de arriba... hicieron una fiesta ayer y no .... en toda la noche...

2. ● Está cayendo agua del piso de arriba...

   ○ ¡Oh no! Seguro que otra vez .... las cañerías. ¡Ve a buscar al portero!

3. ● ¡Hola! ¿Qué hay para cenar?

   ○ Ehm, verás... es que .... chateando con Clara y .... la comida... ¿te apetece una pizza?

4. ● ¡Estás delgadísima!

   ○ Sí, ¿verdad? Es que .... una dieta estupenda. .... diez kilos en dos meses.

5. ● Zaldívar, ¿estas son horas de llegar?

   ○ Mil perdones, es que no .... el despertador y...

6. ● ¿Dónde está Gabriela?

   ○ No va a poder venir, ... mala en el último momento.

7. ● ¿Ya sabes lo de Fernanda y Lucía?

   ○ ¡Sí! Me lo .... Inés esta mañana... ¡Qué sorpresa!

3 GRACIAS A LA VIDA

"Gracias a la vida" es una célebre canción de Violeta Parra en la que la autora agradece a la vida por las cosas que le ha dado. Observa estos fragmentos y haz tú una lista de las cosas que te ha dado la vida y explica por qué son importantes.

> "Gracias a la vida que me ha dado tanto.
> Me ha dado el sonido y el abecedario.
> Gracias a la vida que me ha dado tanto.
> Me ha dado la marcha de mis pies cansados.
> Gracias a la vida que me ha dado tanto.
> Me ha dado la risa y me ha dado el llanto."

....
....
....
....
....
....
....
....
....
....
....
....
....
....
....
....
....

Uso del pretérito indefinido

▶▶ Usamos el pretérito indefinido para expresar acciones ocurridas en un momento determinado del pasado y que se presentan como concluidas. Puede aparecer, por lo tanto, acompañado de marcadores como:

- fechas (**en 1990, en 2003, el 8 de septiembre, en enero...**)
- **ayer, anoche, anteayer**
- **el lunes, el martes...**
- **el mes pasado, la semana pasada,** etc.

> *Anoche **salí** con una chica que conocí en el chat.*

> *El año pasado los aeropuertos **tuvieron** muchísimos problemas.*

4 HE ANDADO MUCHOS CAMINOS

A. Aquí tienes los principales datos de la biografía del poeta Antonio Machado. Con ellos, escribe su biografía usando el pretérito indefinido.

1907 - Obtiene la cátedra de francés en el instituto de Soria.

1936-37 - Escribe textos testimoniales sobre la guerra civil.

1883 - La familia se muda a Madrid. Antonio estudia en la Institución Libre de Enseñanza y en otros institutos madrileños.

1899 - Primer viaje a París.
De vuelta a España, frecuenta los ambientes literarios, donde conoce a J. R. Jiménez, R. del Valle-Inclán, M. de Unamuno y Rubén Darío.

1903 - Publica *Soledades*

1927 - Es elegido miembro de la Real Academia Española.

1939 - Tras la derrota de los republicanos en la Guerra Civil parte al exilio. Muere en el pueblecito francés de Colliure.

1909 - Se casa en Soria con Leonor Izquierdo.

1875 - Nace en Sevilla.

1912 - Muere su esposa. Pasa al instituto de Baeza. Escribe *Campos de Castilla.*

🔊 **B.** Escucha ahora este fragmento de una entrevista de un programa televisivo sobre Machado. En la biografía anterior hay un error: ¿puedes encontrarlo y corregirlo?
16

C. Así comienza el poema II de *Soledades* (1907), de Antonio Machado. ¿Por qué crees que el poeta utiliza el pretérito perfecto?

> *He andado muchos caminos,*
> *he abierto muchas veredas;*
> *he navegado en cien mares,*
> *y atracado en cien riberas.*

D. Escribe las cinco experiencias más importantes de tu vida.

5 ¿CUÁNDO?

Usa el tiempo más adecuado según los usos descritos en las páginas 61 y 63.

1. ver/nosotros

   Esta mañana .... a tu prima.

   Ayer .... a tu prima.

2. dormir/yo

   Este fin de semana .... en casa de mis padres.

   El lunes .... en casa de mis padres.

3. hacer/ellos

   El año pasado .... muchos trabajos de campo en la facultad.

   Este curso .... muchos trabajos de campo en la facultad.

4. haber/impersonal

   Este mes .... grandes cambios en el país.

   En 2004 .... grandes cambios en el país.

5. vivir/tú

   ¿Dónde .... entre 1990 y 1995?

   Tú siempre .... en la misma casa, ¿verdad?

6. escribir/él

   Últimamente Marcelo .... varios artículos muy interesantes.

   El último verano Marcelo .... varios artículos muy interesantes.

7. mentir/yo

   Bueno, sí... Admito que la primera vez que hablamos te ....

   ¿Cómo piensas eso? ¡Yo nunca te ....!

8. decir/yo

   ¿Cómo que no lo sabías? ¡Pero si te lo .... mil veces!

   ¿Cómo que no lo sabías? ¡Pero si te lo .... el domingo!

MUNDO PLURILINGÜE

Traduce a tu idioma, o a otras lenguas que conozcas, las frases del ejercicio anterior. ¿Hay también dos tiempos para referirse a acciones acabadas en el pasado? ¿Cómo funcionan?

您好！

مرحبا

¡Hola!

6 AGENDA

Esta es la agenda de Bibi. Como trabaja, estudia y tiene que hacer muchas cosas, planea su semana con detalle y toma notas de *lo que hace* y de *lo que no hace*. Completa los textos según en el momento en que se encuentra.

Lunes 3	Martes 4	Miércoles 5	Jueves 6	Viernes 7
- *Análisis de sangre, Clínica Mendizábal* - *Tintorería: llevar abrigo* - ~~*19 horas: Pilates*~~ - *Ir al supermercado*	- *Reservar hotel y billetes* - ~~*Reservar restaurante para la cena con Orlando*~~	- *Pagar el alquiler* - *19 horas: Pilates* - *18 horas: psicóloga* - ~~*Cumple de Jaime, llamar para felicitarle*~~	- *Tintorería: retirar abrigo* - *Retirar análisis* - ~~*Comida con mamá.*~~ - *22 horas buscar a Luciano aeropuerto*	

El lunes 3 por la noche dice:

- Me he hecho los análisis en la clínica...

- ....

- ....

El martes 4 por la noche dice:

- ....

- ....

- ....

El miércoles 5 por la noche dice:

- ....

- ....

- ....

El viernes 7 por la mañana dice (sobre el jueves):

- Ayer...

- ....

- ....

El pretérito pluscuamperfecto

El pretérito pluscuamperfecto se forma con el imperfecto del verbo auxiliar **haber** y el participio pasado.

Yo	había	
Tú	habías	
Él / ella / usted	había	viajado
Nosotros / nosotras	habíamos	leído
Vosotros / vosotras	habíais	salido
Ellos /ellas / ustedes	habían	

Atención: al igual que en el pretérito perfecto, no se puede colocar ninguna palabra entre el auxiliar y el participio.

> Me **habían dicho** que...
> ~~Habían me dicho que...~~

El pretérito pluscuamperfecto es el "pasado del pasado": sirve para hablar de una acción terminada en el pasado presentándola como anterior a un cierto punto también del pasado.

> *Cuando llegamos, ya se habían agotado las entradas.* (Antes de nuestra llegada)

> *El otro día estuve con Mariel. Me contó que habían conocido a alguien muy especial.* (Antes de contármelo)

> *Fui a verlo a su despacho a las seis, pero ya se había marchado.* (Antes de las seis)

El pluscuamperfecto no funciona de modo independiente: necesita de otra acción o referencia temporal respecto de la que se sitúa con anterioridad.

> *- Marcos y Laura habían ido a cenar fuera. (¿?)*
> *- Marcos y Laura habían ido a cenar fuera, por eso, cuando pasé por su casa, no estaban.*

Ayer te llamé a casa pero no contestaste.

Ya me había ido a trabajar.

---

1 QUISE LLAMARTE, PERO...

A. Escribe estos verbos en pretérito pluscuamperfecto, en la persona indicada.

Cortar (ellos / ellas / ustedes) _habían cortado_

Agotarse (ellos / ellas / ustedes) ....

Avisar (nosotros/as) ....

Comentar (él / ella / usted) ....

Decir (yo) ....

Estudiar (tú) ....

Llegar (él / ella / usted) ....

Llevar (nosotros/as) ....

Olvidar (él / ella / usted) ....

Practicar (ellos / ellas / ustedes) ....

Preparar (yo) ....

Estropearse (él / ella / usted) ....

Salir (vosotros/as) ....

Traer (tú) ....

B. Completa las siguientes frases con algunas de las formas del apartado anterior.

1. Quise llamarte, pero me _habían cortado_ el teléfono.

2. No pudo entrar a la casa porque .... las llaves.

3. Llamé para avisaros, pero ya ....

4. Cuando los niños volvieron de la escuela, su madre aún no .... a casa.

5. Fuimos a ver el estreno, pero ya .... las entradas.

6. No quiso probar el pastel que le ....

7. No enviaron el trabajo porque el ordenador ....

8. Nos dijeron que no pudieron venir a la reunión porque no los .... a tiempo.

2 CUANDO LLEGAMOS AL ESTADIO...

Relaciona las siguientes frases con su interpretación lógica correspondiente, como en el ejemplo.

1. Cuando llegamos al estadio...
- **a.** se había acabado el partido.
- **b.** se acabó el partido.
  - [b] vimos el final
  - [a] no vimos el final

2. Cuando estuvimos en Sevilla...
- **a.** se celebró un festival de cine.
- **b.** se había celebrado un festival de cine.
  - ☐ pudieron ver algunas películas
  - ☐ no pudieron ver películas

3. Cuando llegó la ambulancia...
- **a.** el paciente había reaccionado consciente.
- **b.** el paciente reaccionó consciente.
  - ☐ el paciente ya estaba consciente
  - ☐ el paciente no estaba consciente

4. Cuando fuimos a su casa...
- **a.** Adrián había salido.
- **b.** Adrián salió.
  - ☐ vimos a Adrián
  - ☐ no vimos a Adrián

5. Cuando Carlos llegó a clase...
- **a.** el examen comenzó.
- **b.** el examen había comenzado.
  - ☐ Carlos llegó a tiempo
  - ☐ Carlos no llegó a tiempo

6. Cuando llegó a casa...
- **a.** había comenzado a llover.
- **b.** comenzó a llover.
  - ☐ se mojó
  - ☐ no se mojó

3 A LAS 10 AÚN NO HABÍA LLEGADO

Traslada las acciones al pasado como en el ejemplo.

1. Son las 10 y aún no han llegado. ➔ A las 10 aún no habían llegado.

2. ¡Oh, no! ¡Nuestro vuelo ya se ha ido! ➔ Llegamos al aeropuerto con el tiempo justo, pero ....

3. ¡No lo puedo creer! ¡Ya se han vendido todas las entradas! ➔ No pudimos ver la película porque ....

4. Me he dejado la cartera en casa... ¿puedes prestarme algo de dinero? ➔ Tuve que pedirle dinero a Enrique porque................................ ....

5. Lo siento, pero ya hemos vendido todos los ejemplares. ➔ Quise comprar tu revista, pero ya ....

6. ¿Ya has enviado los correos? ¡Ay! Quería adjuntar este documento. ➔ Quería agregar un documento, pero Raquel ya................................ ....

7. Ya lo sé. Rafael me lo contó. ➔ Ya lo sabía: Rafael ....

8. Pregúntale a los Sanz. Ellos estuvieron allí el verano pasado. ➔ Les pregunté a los Sanz porque ellos..

9. No puedo concentrarme, he dormido muy mal. ➔ No pude concentrarme porque........................ ....

10. Tenemos que suspender el partido: llovió muchísimo anoche. ➔ Tuvimos que suspender el partido porque la noche anterior ....

4 EL HOTEL ESTABA LLENO

A. Une las frases con su continuación lógica y escribe el verbo en la forma adecuada.

1. El hotel estaba lleno porque...

2. El campo de fútbol estaba lleno de barro porque...

3. Clarita ya sabía que Julio no vendría porque...

4. Las plantas estaban muertas porque...

5. No pude hacer más fotos porque...

6. La grúa se llevó su coche porque...

7. Le llegó una citación de Hacienda porque...

8. Conocía muy bien Sevilla porque...

9. Compró un coche nuevo en 2011 porque...

10. No aprobó el examen porque...

a. (aparcarlo) .... sobre un paso de peatones.

b. (agotarse) .... las pilas de la cámara.

c. (llegar) Había llegado un grupo muy grande de turistas.

d. No (pagar) .... los impuestos de los últimos dos años.

e. (vivir) .... allí en su juventud.

f. Mauricio (decírselo) .... el día anterior.

g. No (pasar) .... nadie a regarlas.

h. (tener)............... un accidente con el anterior.

i. No .... (estudiar) casi nada.

h. (llover) .... sin parar tres días seguidos.

B. Ahora completa estas frases, usando también el pretérito pluscuamperfecto, pero dando otros motivos.

1. El hotel estaba lleno porque _se habían alojado allí todos los asistentes a un congreso_ .

2. El campo de fútbol estaba lleno de barro porque..

3. Clarita ya sabía que Julio no vendría porque...

4. Las plantas estaban muertas porque ....

5. No pude hacer más fotos porque ....

6. La grúa se llevó su coche porque ....

7. Le llegó una citación de Hacienda porque ....

8. Conocía muy bien Sevilla porque ....

9. Compró un coche nuevo en 2011 porque ....

10. No aprobó el examen porque...

5 ¿QUIÉN NO HABÍA LLEGADO?

🔊 Estas formas pueden corresponder a la primera persona del singular (**yo**) o a la tercera (**él / ella / usted**). Escucha las
17 frases completas y di a qué persona corresponden.

Había comprado cena. _(ella)_

Había roto con Marta. ....

Había perdido el tren. ....

Había estado en Sevilla antes. ....

Había terminado la carrera. ....

Había reunido a varios amigos. ....

Había escrito una novela. ....

Había aparcado mal el coche. ....

El pretérito imperfecto

▶▶ El pretérito imperfecto presenta acciones o circunstancias desde una perspectiva semejante a la del presente: se sitúa en un momento del pasado y nos muestra una acción pasada "desde dentro", en su desarrollo.

> *Es muy tarde y estoy cansado.* (ahora)
> *Era muy tarde y estaba cansado.* (en ese momento)

▶▶ Se utiliza para hablar de hábitos, de acciones que se repetían con regularidad en el pasado, y para hablar de las circunstancias que rodean a los acontecimientos.

> *Antes **iba** al trabajo en coche, pero **gastaba** mucho dinero en gasolina.*

▶▶ En la narración normalmente aparece acompañando a otro verbo en indefinido o en perfecto y presenta la acción como algo que se desarrolla de manera simultánea a la acción expresada por el indefinido o perfecto.

> ***Estaba estudiando** tranquilamente y de pronto **escuché** un estruendo…* (el estruendo ocurrió simultáneamente a la acción de estudiar)

> *Cuando se conocieron, Maite **trabajaba** en el Consulado.* (el momento de conocerse ocurre en la época en la que Maite trabajaba en el Consulado)

En los tres ejemplos, el verbo en imperfecto nos presenta las circunstancias que rodean a la acción que "hace avanzar el relato": **sonó el teléfono, escuché un estruendo, se conocieron.**

🛈 **Atención:** la duración de la acción no tiene importancia. Si queremos destacar el desarrollo de la acción, usamos **estar** + gerundio. (Ver Unidad 8, perífrasis verbales: **estar** + gerundio.)

> ***Estuve trabajando** quince años en esa empresa.*

🛈 **Atención:** como la acción se presenta como no concluida, es muy difícil que el pretérito imperfecto aparezca junto a marcadores que expresan el final del proceso o el tiempo que ese proceso duró: **hasta, durante, tres años, media hora**…

🛈 **Atención:** si queremos hablar de hechos anteriores a las circunstancias, utilizamos el pluscuamperfecto. (Ver Unidad 11, pretérito pluscuamperfecto.)

> ***Había nevado** toda la noche, **hacía** mucho frío.*

> ***Estaban** de mal humor: **habían discutido** con el jefe por los plazos del proyecto.*

🛈 **Atención:** cuando respondemos a preguntas en presente usando el imperfecto, se sobreentiende "ya no".

---

1 YA NO

Completa las siguientes frases siguiendo el modelo.

1. ● ¿Estás trabajando en París?

○ <u>Estaba</u>, ya no.

2. ● ¿Parezco una persona irresponsable?

○ <u>Lo parecías</u>, ya no.

3. ● ¿Tus padres viven en Málaga?

○ ...., ya no.

4. ● ¿Las chicas comparten piso?

○ ...., ya no.

5. ● ¿Vais al mismo peluquero?

○ ...., ya no.

¿Seguro que no?

6. ● ¿Fumáis los dos?

○ ...., ya no.

7. ● ¿Vendéis El País?

○ ...., ya no.

8. ● ¿Ustedes dan clases de ruso?

○ ...., ya no.

9. ● ¿Los niños estudian piano?

○ ...., ya no.

10. ● ¿Tienes gatos en casa?

○ ...., ya no.

Contraste entre el pretérito indefinido y el pretérito perfecto

» Con estos dos tiempos nos situamos después de la acción y la miramos "desde fuera". Presentamos la acción como concluida, completa.

> ***Ha estudiado*** *Antropología en México.*

> ***Trabajó*** *en el Consulado durante los años 90.*

> *Aquel invierno* ***hizo*** *muchísimo frío.*

> *Ya* ***he escrito*** *más de la mitad del informe.*

> ***Estuvimos hablando*** *más de una hora.*

» El pretérito indefinido es el tiempo verbal que "hace avanzar" la narración.

> ● *¿Qué* ***hiciste*** *el verano pasado?*
> ○ *Pues… primero* ***pasé*** *una semana en casa de mis padres y después* ***volví*** *a Barcelona.* ***Estuve trabajando*** *muchísimo… Pero después* ***viajé*** *a Venezuela. Me* ***quedé*** *allí diez días. Lo* ***pasé*** *muy bien. La verdad,* ***ha sido*** *una experiencia inolvidable.*

» Con el pretérito imperfecto "decoramos" el relato, explicamos lo que rodea esas acciones.

> *Pues… primero* ***pasé*** *una semana en casa de mis padres: no los* ***veía*** *desde Navidad. También* ***estaba*** *allí mi hermano con los niños. Luego* ***volví*** *a Barcelona porque* ***tenía*** *que terminar un trabajo antes de fines de julio.* ***Estuve trabajando*** *muchísimo.* ***Hacía*** *un calor espantoso y la ciudad* ***estaba*** *repleta de turistas… terrible… Pero quince días después* ***viajé*** *a Venezuela:* ***tenía*** *muchas ganas de conocer el Caribe y la verdad es que* ***había*** *muy buenas ofertas de vuelos… Lo* ***pasé*** *muy bien: el hotel* ***era*** *estupendo, la gente muy simpática… y* ***había*** *mil lugares interesantes para recorrer. Me* ***quedé*** *allí diez días. La verdad es que no* ***quería*** *marcharme… Lo* ***pasé*** *muy bien. La verdad,* ***ha sido*** *una experiencia inolvidable.*

2 CUANDO LLEGUÉ A SU CASA…

Selecciona la forma verbal adecuada para cada interpretación.

1. Cuando llegué a casa de Luisa, Carlos **se fue / se iba**.

pero al verme se quedó un rato más.............................

solo me dio tiempo a decirle adiós ....

2. **Queríamos / quisimos** hacerle un regalo original al profesor…

pero no se nos ocurrió nada ....

y le regalamos un cerdito.................................. .

3. Don Julián estaba muy grave. Se **moría / murió**.

pero pasó un milagro y se recuperó.......................

y lo enterraron ....

4. **Tuve / tenía** que terminar el informe para el lunes pasado…

por eso no salí de casa el domingo ....

pero me fui de fiesta y no lo terminé.....................

5. Cuando el equipo **perdía / perdió** el partido…

marcó dos goles y pudo remontar...........................

Pedro decidió abandonar el fútbol ....

6. **Tenía / tuvo** mucho frío…

por eso pidió una manta a la azafata ....

y llegó a casa con un catarro horrible......................

MUNDO PLURILINGÜE

Traduce a tu lengua el último ejemplo del cuadro de gramática… ¿qué tiempos verbales utilizas? ¿Funciona como en español? Intenta entender el uso de los tiempos del pasado en tu lengua y compáralo con el del español.

您好！

¡Hola!

مرحبا

3 EL REY DE LA PATAGONIA

Aquí tienes un relato en pretérito indefinido. En el recuadro tienes más información. ¿Puedes completar la historia? Necesitarás también algunos conectores: **cuando**, **como**, **ya que**, etc.

Orélie Antoine de Tounens llegó a Chile en agosto de 1858. Se puso en contacto con miembros de la masonería local, que financiaron su viaje al sur del país. Cuando llegó a la Araucaría hizo una alianza con el cacique Mañil, uno de los más poderosos de la región. Más tarde un grupo de mercaderes sin escrúpulos se unió también a la expedición. A la muerte de Mañil, su hijo Quilapán apoyó al francés y este se proclamó Rey de la Araucaría y la Patagonia y dictó una serie de decretos. Tres días más tarde anexionó a su reino la Patagonia argentina y comenzó un periplo en busca de nuevas adhesiones, pero uno de sus seguidores lo delató y fue detenido en enero de 1862 por la policía chilena por perturbar el orden público. Fue sometido a exámenes psiquiátricos y luego fue encerrado en una celda, donde permaneció nueve meses, durante los que siguió sosteniendo ser el rey legítimo de la Araucaría. Finalmente la diplomacia francesa consiguió sacarlo de la cárcel y llevarlo de regreso a Francia.

En esta época los jóvenes estados de Argentina y Chile intentan extender sus dominios hasta el extremo sur. Estas tierras están en manos de los pueblos indígenas.

Orélie Antoine de Tounens es un abogado francés influenciado por los relatos de aventureros y naturalistas que recorrían las tierras del Sur. Es la época de la gran expansión colonial de Europa.

Mañil odia al estado chileno, contra el cual lleva años combatiendo.

Los mercaderes conocen bien la tierra de los araucanos, con los cuales intercambian alcohol por cueros y pieles.

Orélie Antoine viaja en compañía de un mestizo, Yanquetruz, que le sirve de intérprete.

Los decretos del "Rey" están inspirados en la Constitución francesa.

....

....

....

....

....

....

....

....

4 CUANDO ERA NIÑO...

A. Vas a escuchar unas frases sueltas. ¿Hablan de hechos puntuales o de acciones reiteradas? Marca la opción más adecuada para cada frase.

18

1. ☐ Cuando yo vivía allí.
☐ El verano pasado.

2. ☐ Este año.
☐ Años atrás.

3. ☐ Cuando eran novios.
☐ El jueves pasado.

4. ☐ Hace unos años.
☐ Esta tarde en el trabajo.

5. ☐ En mi último viaje a Montevideo.
☐ Cuando vivía en Montevideo.

B. Vuelve a escuchar las frases en contexto y comprueba tus respuestas.

19

5 HISTORIAS ANTIGUAS

Selecciona la forma verbal adecuada.

El origen de la patata

Cuenta una vieja leyenda andina que los pueblos cultivadores de la quinoa **dominaron/dominaban** durante muchos años a las tribus de las tierras altas y que, para hacerlos morir de hambre, les fueron disminuyendo gradualmente la ración de alimentos.

Cuando estaban al borde de la muerte, los pobres **suplicaron/suplicaban** a los dioses, y estos les **entregaron/entregaban** unas semillas extrañas que –una vez sembradas- se **convirtieron/convertían** en unas plantas de flores moradas. Los dominadores no se **opusieron/han opuesto** a ese cultivo, porque **pensaron/pensaban** quedarse con toda la primera cosecha… y así lo **hicieron/hacían**: cuando los frutos **parecieron/parecían** maduros, se lo **llevaron/llevaban** todo.

Entonces las tribus de las tierras altas **volvieron/volvían** a pedir ayuda al cielo y una voz desde lo alto les **dijo/decía** que **debieron/debían** remover la tierra, que los verdaderos frutos **estuvieron/estaban** escondidos allí. Y así **fue/ha sido**: debajo del suelo **han estado/estaban** las patatas, que la gente de la Puna **recogió/recogía** y **guardó/guardaba** en el mayor de los secretos. Los puneños **añadían/añadieron** a su pobre dieta una ración de patatas y pronto **recobraron/recobraban** sus fuerzas y **vencieron/vencían** a los invasores, que **huyeron/huían** y nunca más **molestaban/molestaron** a los puneños. Desde entonces, la papa o patata es la base de la alimentación de los pueblos andinos, y tras la llegada de los europeos a América su cultivo se **extendió/ha extendido/extendía** a lo ancho del planeta.

Formas y usos del futuro imperfecto

⏩ Con el futuro imperfecto hacemos predicciones y promesas sobre el futuro.

> *Mañana **lloverá** en el norte.*

Este año acabaremos entre los 4 primeros equipos del campeonato.

⏩ El futuro imperfecto se forma añadiendo al infinitivo las siguientes terminaciones.

	viajar	traer	traducir
Yo	viajar**é**	traer**é**	traducir**é**
Tú	viajar**ás**	traer**ás**	traducir**ás**
Él / ella / usted	viajar**á**	traer**á**	traducir**á**
Nosotros / nosotras	viajar**emos**	traer**emos**	traducir**emos**
Vosotros / vosotras	viajar**éis**	traer**éis**	traducir**éis**
Ellos / ellas / ustedes	viajar**án**	traer**án**	traducir**án**

⚖ **Atención:** en las seis personas, el acento se encuentra en la terminación.

⏩ Hay unos pocos verbos que tienen una raíz irregular, pero sus terminaciones son las mismas de los verbos regulares.

decir → diré, dirás...
hacer → haré, harás...
querer → querré, querrás...
haber → habré, habrás...
poder → podré, podrás...
caber → cabré, cabrás...
saber → sabré, sabrás...

1 ¿VENDRÁS A LA FIESTA?

A. Escribe estos verbos en futuro imperfecto en la persona indicada

venir (tú) ..vendrás..

salir (vosotros) ....

aprender (ellos / ellas / ustedes) ....

entender (él / ella / usted) ....

querer (ellos / ellas / ustedes) ....

quedarse (yo) ....

tener (él / ella / usted) ....

ser (él / ella / usted) ....

hacer (yo) ....

escribir (él / ella / usted) ....

decir (ellos / ellas / ustedes) ....

caber (nosotros) ....

casarse (ellos / ellas / ustedes) ....

B. Completa estas frases con algunos de los verbos conjugados de la actividad anterior

1. Somos cinco y las maletas... ¿te parece que .... todos en un coche tan pequeño?

2. No sé bien qué hacer este fin de semana... si hace frío, creo que .... en casa.

3. ¿Tú crees que Jeanne .... este texto? El vocabulario es muy complejo para un extranjero...

4. ¿A qué hora .... de clase el viernes? Si queréis, pasamos a buscaros a la salida.

5. No sé si los niños .... quedarse el domingo en casa de mi madre...

6. Es inútil. Si les preguntas a ellos, te .... que no saben nada.

7. ¿Ya se sabe si el bebé de Eugenia .... niño o niña?

2 LOS ARIES PASARÁN POR UN BUEN MOMENTO

A. Este es un fragmento del horóscopo para el signo de Aries. Selecciona los verbos adecuados en su forma de futuro para completarlo. Atención: presta atención al sujeto de cada oración, no es siempre el mismo.

empezar	hacer	ayudar	ser	obtener
poder	ver	sentir	ser	ser
ser	sufrir	deber	viajar	

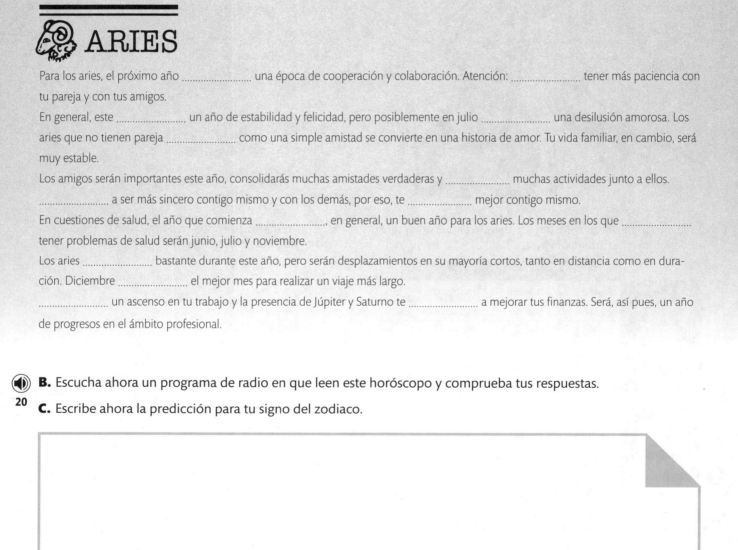

ARIES

Para los aries, el próximo año .... una época de cooperación y colaboración. Atención: .... tener más paciencia con tu pareja y con tus amigos.

En general, este .... un año de estabilidad y felicidad, pero posiblemente en julio .... una desilusión amorosa. Los aries que no tienen pareja .... como una simple amistad se convierte en una historia de amor. Tu vida familiar, en cambio, será muy estable.

Los amigos serán importantes este año, consolidarás muchas amistades verdaderas y .... muchas actividades junto a ellos.

.... a ser más sincero contigo mismo y con los demás, por eso, te .... mejor contigo mismo.

En cuestiones de salud, el año que comienza ...., en general, un buen año para los aries. Los meses en los que .... tener problemas de salud serán junio, julio y noviembre.

Los aries .... bastante durante este año, pero serán desplazamientos en su mayoría cortos, tanto en distancia como en duración. Diciembre .... el mejor mes para realizar un viaje más largo.

.... un ascenso en tu trabajo y la presencia de Júpiter y Saturno te .... a mejorar tus finanzas. Será, así pues, un año de progresos en el ámbito profesional.

B. Escucha ahora un programa de radio en que leen este horóscopo y comprueba tus respuestas.

20

C. Escribe ahora la predicción para tu signo del zodiaco.

Formas de referirse al futuro

Con el futuro imperfecto presentamos las acciones futuras como algo que no controlamos totalmente y que depende del paso del tiempo para confirmarse.

> *Este invierno **será** especialmente crudo.*

> *Mañana a esta hora **estaremos** en Bruselas.*

Este no es el único tiempo para hablar del futuro. Para presentar acciones futuras como algo evidente o como una intención o decisión que hemos tomado solemos usar la forma **ir a** + infinitivo. (Ver Unidad 8.)

> *Hay mucho tráfico, **voy a llegar** tarde al trabajo.*

> ***Voy a hablar** con Enrique esta misma tarde.*

Para hablar del futuro también usamos el presente de indicativo, acompañado de marcadores temporales de futuro. Con este tiempo, presentamos las acciones futuras como algo completamente seguro e integrado a la realidad presente.

> *Mañana **es** mi cumpleaños.*

> *Esta noche **ceno** con Alejandra.*

3 ¿QUÉ VAN A HACER ESTAS VACACIONES?

A. Todas estas personas están preparando sus maletas para salir de vacaciones. ¿Qué actividades van a hacer?

1. Margarita ....

2. Fernando ....

3. Kike ....

4. Zoraida ....

5. Lola ....

6. Andoni ....

7. Laia ....

8. Toño ....

B. ¿Y tú? ¿Qué vas a hacer este fin de semana? Puedes expresarlas mediante la estructura **ir a** + **infinitivo**.

Futuro de probabilidad

⏩ El futuro imperfecto se usa también para hablar del presente cuando presentamos los hechos como algo no seguro, como una suposición o hipótesis.

> ● *¿Tienes hora?*
> ○ *No llevo reloj...* **serán** *las ocho.* (supongo que son las ocho)

> *Patri no ha venido a la reunión...* **¿Estará** *enferma?*

4 | ¿ESTARÁ ENFERMA?

Busca para cada frase su explicación o continuación más lógica.

1. Marcela no ha venido a clase. ¿Estará enferma?

2. Marcela no ha venido a clase. ¿Está enferma?
☐ (Hace una pregunta retórica, no espera respuesta)
☐ (Espera respuesta)

3. Llaman. Será el cartero.

4. Llaman. Es el cartero.
☐ (No lo ve)
☐ (Lo ve desde la ventana)

5. Los vecinos están dando una fiesta...

6. Los vecinos estarán dando una fiesta...
☐ me avisaron ayer.
☐ tienen la música altísima.

7. Nunca veo al vecino, trabajará de noche...

8. Nunca veo al vecino, trabaja de noche
☐ en una gasolinera de aquí cerca.
☐ o algo así.

9. Su bebé tendrá 10 meses...

10. Su bebé tiene 10 meses...
☐ más o menos.
☐ me lo dijo ayer.

5 ESTARÁ ENFERMO...

A. Marca cuáles de las frases con verbo en negrita se refieren al futuro.

1. A eso de las seis de la tarde **estaremos** en el Café Central, ¿vienes?
2. ¿Cuántos años **tendrá** el marido de Sofía?
3. Hace una semana que Fidel no viene al bar **¿estará** enfermo?
4. Mañana Verónica **comienza** la escuela.
5. No te preocupes: un día **pagará** por lo que te hizo.
6. El tren procedente de Orense **entrará** por la vía 4.
7. - Romina aún no ha llegado...
   - ¡Qué raro! **Estará** en medio de un atasco, ¿no? A esta hora...
8. Si acabo temprano, **iré** a verte a tu despacho.
9. ¡Tranquilízate! En quince minutos **estoy** allí.
10. **Voy a hablar** hoy mismo con sus padres, esto no puede seguir así.

B. Trata de reformular las frases que no se refieren al futuro con otros tiempos verbales. Realiza los cambios necesarios para no alterar su significado.

....

....

....

....

....

....

....

....

....

 MUNDO PLURILINGÜE

A. Traduce estas frases a tu lengua o a otras lenguas que conozcas.

Mañana **lloverá** en todo el país.

Lo veo en las cartas: te **casarás** joven y **tendrás** muchos hijos.

El lunes próximo **es** la boda de Damián.

¡El miércoles **tengo** mi último examen!

Estoy harto. **Voy a llamar** ahora mismo a mi jefe y le **voy a decir** lo que pienso.

El año próximo **vamos a tomarnos** las vacaciones en septiembre.

Hebe no me ha llamado aún. **Estará** ocupada.

B. Observa los verbos en negrita ¿Has usado siempre la misma forma verbal para referirte a estas acciones futuras? ¿Existen en tu lengua los diferentes matices para referirse al futuro? ¿Y para hacer hipótesis sobre el presente?

您好！

¡Hola!

مرحبا

Formas y usos del condicional simple

▸▸ Con el condicional simple hacemos referencia a acciones virtuales o irreales, que dependen de condiciones que aún no se han cumplido. Se refiere tanto al presente como al futuro.

> *¡Estoy muerto de cansancio!* **Me iría** *a la cama ahora mismo.* (no lo voy a hacer)

> *No sé qué hacer... ¿En mi lugar, tú* **llamarías** *a Alfredo?* (pido a alguien que se ponga en mi lugar y le pregunto sobre su actuación)

▸▸ El condicional se forma añadiendo al infinitivo las siguientes terminaciones.

	viajar	traer	traducir
Yo	viajar**ía**	traer**ía**	traducir**ía**
Tú	viajar**ías**	traer**ías**	traducir**ías**
El / ella / usted	viajar**ía**	traer**ía**	traducir**ía**
Nosotros / nosotras	viajar**íamos**	traer**íamos**	traducir**íamos**
Vosotros / vosotras	viajar**íais**	traer**íais**	traducir**íais**
Ellos / ellas / ustedes	viajar**ían**	traer**ían**	traducir**ían**

💡 **Atención:** las formas de la 1.ª y de la 3.ª persona del singular son idénticas, por lo que puede ser necesario mencionar el sujeto.

▸▸ Además del valor puramente hipotético, el condicional puede usarse para atenuar la fuerza de nuestras afirmaciones o para expresar sugerencia o petición (sobre todo con verbos como **poder**, **importar**, etc.).

> *Yo* **juraría** *que he dejado la llaves aquí.* (atenuación)

> *En esta casa falta color, yo* **pintaría** *alguna pared de azul o de verde.* (sugerencia)

> ¿Le importaría cerrar la ventana?, es que tengo un poco de frío.

▸▸ Existen algunos verbos irregulares en condicional, los mismos que en futuro imperfecto (ver Unidad 13); como en el futuro, la irregularidad afecta a la raíz, pero las terminaciones son las mismas de los verbos regulares.

decir → dir**ía**, dir**ías**...

hacer → har**ía**, har**ías**...

querer → querr**ía**, querr**ías**...

haber → habr**ía**, habr**ías**...

poder → podr**ía**, podr**ías**...

caber → cabr**ía**, cabr**ías**...

saber → sabr**ía**, sabr**ías**...

1 LLAMARÍAS NO ES LLAMARÁS

Relaciona cada frase con su explicación (entre paréntesis) o con su continuación lógica.

1. ¿Tú vivirías en este barrio?	**a.** (Pide opinión.)
2. ¿Tú vivías en este barrio?	**b.** (Pide información.)
3. ¿Me llamarías mañana a las 7 y media para despertarme?	**c.** (Pide confirmación.)
4. ¿Me llamarás mañana a las 7 y media para despertarme?	**d.** (Pide un servicio o favor.)
5. ¿Tú querías ser pintor?	**e.** (Pregunta por el presente o el futuro.)
6. ¿Tú querrías ser pintor?	**f.** (Pregunta por el pasado.)
7. Yo diría que Laura está enfadada,	**g.** aunque no estoy del todo seguro.
8. Yo decía que Laura está enfadada,	**h.** pero nadie me hacía caso.
9. ¿Aquí cabría una cama de matrimonio?	**i.** Parece imposible.
10. ¿Aquí cabía una cama de matrimonio?	**j.** ¿O tendremos que poner una cama pequeña?

2 DESEOS, SUGERENCIAS Y PETICIONES

A. Conjuga estos verbos en la persona indicada del Condicional.

1. Hacer (él / ella / usted) ....

2. Deber (vosotros/as) ....

3. Pintar (vosotros/as) ....

4. Escribir (él / ella / usted) ....

5. Llevar (tú) ....

6. Hacer (yo) ....

7. Irse (yo) ....

8. Producir (ellos / ellas / ustedes) ....

9. Beberse (yo) ....

10. Decir (tú) ....

11. Saber (nosotros/as) ....

12. Ser (yo) ....

13. Tener (él / ella / usted) ....

14. Trabajar (ellos / ellas / ustedes) ....

15. Comerme (yo) ....

B. Coloca algunas de las formas verbales del apartado anterior en las siguientes frases.

1. ¡Tengo un hambre...! .... un buey.

2. ¿Usted qué .... en mi lugar: compraría un ordenador portátil o uno de sobremesa?

3. ¡Tengo un sueño...! .... ahora mismo a la cama.

4. ¿Una gaviota? ¿Tú .... que eso es una gaviota?

5. ¿Tú adónde .... a cenar a mis suegros: a un restaurante clásico o a uno más moderno?

6. ¿Vosotros de qué color .... esta pared: de verde o de azul?

7. ¡Hace mucho calor! .... 5 litros de agua.

8. Yo nunca .... profesor, me parece una profesión durísima.

¡Estoy agotado! Yo pararía ya...

¡Pues yo correría otros cinco kilómetros!

⏩ Usamos también el condicional para hablar del pasado cuando presentamos un hecho como no seguro, como una suposición o una hipótesis. Este es un uso equivalente al del futuro para hacer conjeturas sobre el presente (ver Unidad 13).

● *¿A qué hora volvió Carina anoche?*
○ *No sé... **serían** las tres.* (=supongo que eran las tres)

*Gerardo no fue al acto... ¿**estaría** enfermo?* (=a lo mejor estaba enfermo)

3 SERÍA TU HERMANA, ¿NO?

Lee atentamente las frases de la izquierda y encuentra, a la derecha, su continuación más lógica.

1. La chica que estaba ayer con Luis era su hermana,	☐ la conozco desde niña.
2. La chica que estaba ayer con Luis sería su hermana,	☐ se parecía a él, ¿no?

3. Yo te lo dije. Lo que pasa es que estarías distraída,	☐ mirando por la ventana.
4. Yo te lo dije. Lo que pasa es que estabas distraída,	☐ no me estabas escuchando.

5. Llamé a Lula, pero no la encontré. Estaría de viaje	☐ o en casa de su madre, allí no hay cobertura.
6. Llamé a Lula, pero no la encontré. Estaba de viaje,	☐ pero ella llamó después.

7. Eran las cinco cuando entró en el edificio;	☐ me fijé en que llegaba a la hora exacta.
8. Serían las cinco cuando entró en el edificio;	☐ no puedo decir la hora exacta.

9. La casa tenía 4 salones,	☐ o algo así.
10. La casa tendría 4 salones,	☐ uno para cada estación del año.

▶▶ Un uso frecuente del condicional es el llamamos "de cortesía" o "de modestia". Mediante el condicional suavizamos nuestras afirmaciones y peticiones en los siguientes casos:

Juan, ¿podrías hacer la cena esta noche? Tengo mucho trabajo para mañana...

▶ • Para expresar los propios deseos o necesidades de manera atenuada.

> ¿Me **ayudarías** con esta traducción, por favor?

> Yo **quitaría** el aire condicionado, hace bastante frío, ¿no?

Yo no me estresaría, trabaja sin prisas y luego ya haces la cena.

▶ • Para dar consejos sin imponerse. El hablante lo percibe como una sugerencia, una ayuda.

> **Deberías** llamar antes de ir, ¿no crees?

> Yo **dejaría** este tema para más tarde y luego lo retomamos, ¿qué os parece?

Pues yo de ti haría la cena y así yo no me pondría de peor humor, ¿vale?

▶ • Para que nuestra afirmación no parezca demasiado enérgica o brusca.

> ● Y tú ¿qué opinas?
> ○ Yo **diría** que es más complicado de lo que tú dices...

4 ESOS MODALES...

Reescribe las siguientes frases, utilizando el condicional, para que suenen menos bruscas.

1. Ya que vas a la cocina, ¿me traes un vaso de agua?

Ya que vas a la cocina, ¿me traerías un vaso de agua?

2. Debes comenzar una dieta.

3. ¿Me ayudáis con la mudanza?

4. ¿Podéis hablar más bajo? Estoy estudiando.

5. ¿Mañana me llamas a las ocho? Mi despertador no funciona.

6. Hay que hablar con el director ya.

7. Necesito el piso para el sábado: viene mi novio a cenar.

8. ¿Has acabado? ¿puedo comerme tus patatas fritas?

9. ¿Te importa cerrar la puerta? Entra frío.

10. Quiero ver esos zapatos del escaparate.

11. Quiero hablar contigo... me va bien hoy a las 8 de la tarde.

5 ¿QUIÉN NECESITARÍA UNAS VACACIONES?

A. Como en el imperfecto, en condicional las formas de la primera persona (**yo**) y de la tercera (**él / ella / usted**) son iguales. Escucha las frases y marca, en cada caso, a qué persona se refieren.

21

	yo	él	ella	usted
1				
2				
3				
4				
5				
6				
7				

B. Escucha de nuevo las frases anteriores y relaciónalas con las siguientes.

21

- ☐ **a.** Sí, además es muy competitiva.
- ☐ **b.** Tiene razón, pero no sé hacer otra cosa, solo sé trabajar.
- ☐ **c.** Bueno, si solo comes uno de esos de vez en cuando, tampoco pasa nada.
- ☐ **d.** ¿Usted cree doctor? ¿Le parece que mi hijo no está bien en nuestra casa?
- ☐ **e.** ¿Le parece? Pero no sé si tengo talento para vender, la verdad...
- ☐ **f.** Es verdad, es un sueño que tienes hace tiempo y que deberías cumplir algún día.
- ☐ **g.** Cierto, no hay muchos padres así.

🌐 MUNDO PLURILINGÜE

Traduce estos enunciados a tu idioma. ¿Usas siempre el mismo recurso para trasladar lo que significa el uso del condicional?

1. Estoy muerto, me iría a la cama ahora mismo y no me levantaría hasta el año que viene.

2. La casa no está mal, pero yo nunca viviría en ese barrio.

3. Llegué tarde, serían las 3 de la madrugada o algo así.

4. ¿Me podrías ayudar con este ejercicio?

5. Querría un café con leche, por favor.

您好！

¡Hola!

مرحبا

Formas del presente de subjuntivo

El presente de subjuntivo se forma "invirtiendo" las vocales temáticas del presente de indicativo. Así, los verbos terminados en **-ar** forman el presente de subjuntivo en **e** y los terminados en **-er / -ir**, en **a**.

	viajar	correr	escribir
Yo	viaje	corra	escriba
Tú	viajes	corras	escribas
Él / ella / usted	viaje	corra	escriba
Nosotros / nosotras	viajemos	corramos	escribamos
Vosotros / vosotras	viajéis	corráis	escribáis
Ellos / ellas / ustedes	viajen	corran	escriban

Atención: la modificación de la raíz en ocasiones trae consigo un cambio ortográfico.

aparcar → aparque   apagar → apague

alzar → alce   recoger → recoja

Las irregularidades siguen en general a las del presente de indicativo, con algunas diferencias. Por ejemplo, los verbos que presentan cambio vocálico **e→ie** u **o→ue** se conjugan del mismo modo en el subjuntivo.

	encender	soñar	poder
Yo	encienda	sueñe	pueda
Tú	enciendas	sueñes	puedas
Él /ella /usted	encienda	sueñe	pueda
Nosotros / nosotras	encendamos	soñemos	podamos
Vosotros / vosotras	encendáis	soñéis	podáis
Ellos / ellas / ustedes	enciendan	sueñen	puedan

Los verbos que presentan cambio vocálico **e→i** cambian esta vocal por **i** en todas las personas.

	pedir
Yo	pida
Tú	pidas
Él / ella / usted	pida
Nosotros / nosotras	pidamos
Vosotros / vosotras	pidáis
Ellos / ellas / ustedes	pidan

Los verbos de la tercera conjugación como **sentir** (con cambio vocálico **e→ie** en presente) y como **dormir** o **morir** (con cambio vocálico **o→ue** en presente) combinan dos tipos de irregularidades.

	sentir	dormir
Yo	sienta	duerma
Tú	sientas	duermas
Él / ella / usted	sienta	duerma
Nosotros / nosotras	sintamos	durmamos
Vosotros / vosotras	sintáis	durmáis
Ellos / ellas / ustedes	sientan	duerman

Las irregularidades **g**, **zc** de la 1.ª persona del singular del presente de indicativo se repiten en todas las personas del presente de subjuntivo.

	conocer	poner
Yo	conozca	ponga
Tú	conozcas	pongas
Él / ella /usted	conozca	ponga
Nosotros / nosotras	conozcamos	pongamos
Vosotros / vosotras	conozcáis	pongáis
Ellos / ellas / ustedes	conozcan	pongan

Atención: hay algunos verbos totalmente irregulares.

ser → sea, seas, sea, seamos, seáis, sean

haber → haya, hayas, haya, hayamos, hayáis, hayan

ir → vaya, vayas, vaya, vayamos, vayáis, vayan

dar → dé, des, dé, demos, deis, den

1 APRENDE LA MÚSICA

A. Aquí tienes algunos pares de verbos que se conjugan en presente de subjuntivo de la misma manera. Completa con las formas del segundo. Recuerda que a veces puede haber cambios ortográficos.

1.

	yo	tú	él/ella/usted	nosotros	vosotros	ellos/ellas/ustedes
Comprar	compre	compres	compre	compremos	compréis	compren
Perdonar						

2.

	yo	tú	él/ella/usted	nosotros	vosotros	ellos/ellas/ustedes
Pensar	piense	pienses	piense	pensemos	penséis	piensen
Temblar						

3.

	yo	tú	él/ella/usted	nosotros	vosotros	ellos/ellas/ustedes
Llegar	llegue	llegues	llegue	lleguemos	lleguéis	lleguen
Alargar						

4.

	yo	tú	él/ella/usted	nosotros	vosotros	ellos/ellas/ustedes
Pescar	pesque	pesques	pesque	pesquemos	pesquéis	pesquen
Abanicar						

5.

	yo	tú	él/ella/usted	nosotros	vosotros	ellos/ellas/ustedes
Beber	beba	bebas	beba	bebamos	bebáis	beban
Romper						

6.

	yo	tú	él/ella/usted	nosotros	vosotros	ellos/ellas/ustedes
Poder	pueda	puedas	pueda	podamos	podáis	puedan
Torcer						

7.

	yo	tú	él/ella/usted	nosotros	vosotros	ellos/ellas/ustedes
Vivir	viva	vivas	viva	vivamos	viváis	vivan
Partir						

8.

	yo	tú	él/ella/usted	nosotros	vosotros	ellos/ellas/ustedes
Sentir	sienta	sientas	sienta	sintamos	sintáis	sientan
Mentir						

9.

	yo	tú	él/ella/usted	nosotros	vosotros	ellos/ellas/ustedes
Producir	produzca	produzcas	produzca	produzcamos	produzcáis	produzcan
Conducir						

10.

	yo	tú	él/ella/usted	nosotros	vosotros	ellos/ellas/ustedes
Hacer	haga	hagas	haga	hagamos	hagáis	hagan
Tener						

 B. Vas a hacer algo parecido oralmente: escucharás la conjugación en presente de subjuntivo de un verbo y deberás conjugar el otro que oirás.

22
25

ESTRATEGIA

La memoria te puede ser útil para interiorizar las formas de los verbos. Es importante saber asociar cada verbo con el tipo de conjugación que tiene y a qué otros verbos se parece.

2 OJALÁ LLEGUE

A. Escribe estos verbos en presente de subjuntivo en la persona indicada.

llegar (él, ella, usted) ....

aceptar (ellos, ellas, ustedes) ....

querer (ellos, ellas, ustedes) ....

vestirse (yo) ....

irse (vosotros/as) ....

hacer (nosotros/as) ....

tener (él, ella, usted) ....

ser (él, ella, usted) ....

hacer (nosotros/as) ....

peinarse (yo) ....

escribir (él, ella, usted) ....

decir (ellos, ellas, ustedes) ....

haber (él, ella, usted) ....

dormir (ellos, ellas) ....

B. Completa estas frases con algunos de los verbos conjugados del apartado anterior.

1. Se han enfadado y se acusan de cosas muy feas. No creo que eso .... bueno para nadie.

2. ¡Ojalá Marta .... a tiempo a la reunión!

3. Es importante que .... más espacios verdes en las ciudades.

4. Espero que los clientes .... nuestra.propuesta.

5. A mi profe le encanta que .... todos los ejercicios que nos pone.

6. Mi jefe insiste en que .... de un modo más formal.

7. Os aconsejo que .... unos días de la ciudad... Necesitáis descansar.

8. Están buscando a un periodista que .... una columna diaria de humor.

¡Espero que a Susana le guste mi regalo!

Usos (I): expresiones de deseo e influencia

▶▶ En la gran mayoría de los casos, el subjuntivo se presenta en oraciones subordinadas; es decir, dependientes de una oración que es la principal. En esas oraciones principales encontramos construcciones que, por su significado, introducen una idea que se expresa en subjuntivo o infinitivo.

> *Queremos* que *respeten* nuestros derechos.
> *principal*   *subordinada*

> *Deseo* que las cosas *sean* como dices…
> *principal*   *subordinada*

▶▶ Con muchas construcciones que expresan necesidad, deseo, esperanza e influencia, se usa el subjuntivo cuando el sujeto de ambas oraciones es diferente.

> *Quiero* (yo) que *leas* (tú) este libro.

> *Esperamos* (nosotros) que *vengan* (ellos) *pronto*.

> *Siempre exige* (él) que las sábanas *sean* (las sabanas) *nuevas*.

¡Quiero que te calles durante un mes!

Cuando el sujeto es el mismo no hay subordinación y se usa el infinitivo.

> *Quiero* (yo) *leer* (yo) este libro.

> *Esperamos* (nosotros) *venir* (nosotros) *pronto*.

> *Siempre exige* (él) *usar* (él) *sábanas nuevas*.

▶▶ En oraciones simples, introducido por **ojalá (que)**, el subjuntivo expresa deseos.

> *¡Ojalá (que)* **tengas** *suerte!*

> *¡Ojalá (que)* **llueva** *pronto!*

💡 **Atención:** el verbo puede sobreentenderse en expresiones más o menos fijas.

> *¡(Deseo)* que te **mejores**!

---

3 ESPERO QUE APRUEBES

A. ¿Cuál es el sujeto de los verbos que están en negrita? Señálalo como en el ejemplo.

1. Tu madre espera que **acabes** la carrera de medicina. *tú*
   Tu madre espera **tener** pronto un médico en casa. *ella*

2. Quiero **llegar** a tiempo a la cita. ....
   Quiero que la cita **tenga** lugar a la hora prevista. ......

3. Desean **tener** pronto hijos. ....
   Desean que los hijos **lleguen** pronto. ....

4. Ha pedido que lo **ingresen** en un hospital............
   Ha pedido **ingresar** en un hospital. ....

5. Quiere **oír** tus disculpas. ....
   Quiere que te **disculpes** ante él. ....

6. Preferimos que lo **hagáis** solos. ....
   Preferimos **dejaros** hacerlo solos. ....

B. Los pares de frases anteriores tienen significados más o menos equivalentes. Intenta crear frases que también los tengan para estos pares.

1. Voy a intentar que me lo expliquen bien.
   Voy a intentar .... bien.

2. No pretendo que me traten de manera especial.
   No pretendo .... un trato especial.

3. No deseamos que usted se sienta mal.
   No deseamos .... sentir mal.

4. Prefiere que no lo comparen con su hermano.
   Prefiere no .... comparado con su hermano.

5. Espera que le den la beca.
   Espera .... la beca.

6. Queremos que nos permitan el acceso.
   Queremos .... el acceso libre.

Usos (II): expresiones de duda, probabilidad y negación

Se puede usar el subjuntivo con expresiones de duda como **quizás, tal vez**, aunque también se pueden usar con indicativo.

> *Quizás **vayamos** a verte.* (= No es seguro)

Se usa el subjuntivo con expresiones de probabilidad como **es posible que, es probable que, puede que**, etc. En este caso, evaluamos la posibilidad de que aquello de lo que estamos hablando ocurra.

> *Es posible que **prorroguen** el plazo para la presentación de solicitudes.*

Se usa el subjuntivo con expresiones de negación del tipo **no es verdad / cierto que, no creo que, no pienso que, no está claro que**, etc.

> ● *Iremos al concierto solo si no llueve*
> ○ *Pues… no creo que **vaya a llover**…*

4 VERA, DAMIÁN Y QUIQUE

A. Quique casi nunca se pronuncia claramente sobre ningún tema. Completa sus respuestas.

1. ● ¿Vas a votar al Partido Estructural?

○ Quizás lo vote, no lo sé...

2. ● ¿Vendrás a la marcha contra la contaminación?

○ Tal vez ....

....

3. ● ¿Le contarás a tu esposa lo de Luisa?

○ Puede que...

....

4. ● ¿Dejarás a tus hijos ir al campamento?

○ Es posible que...

....

5. ● ¿Podrás escribir el informe?

○ No creo que..

....

6. ● ¿Estarás este fin de semana localizable?

○ No es probable que ....

....

7. ● Cuando sepa la verdad Alicia nos perdonará, ya lo veréis.

○ ¿Sí? No creo que ....

....

B. Vera siempre expresa sus puntos de vista con mucha seguridad y Damián es muy escéptico y cuestiona o niega lo que los demás dicen. Completa sus diálogos como en el ejemplo.

1. ● Si el ritmo de deforestación continúa así, en 30 años este país se convertirá en un desierto.

○ Eso es una exageración. No es posible que este país se convierta

2. ● Dentro de unos años podremos ir de vacaciones a la Luna.

○ Qué tontería. Es imposible que.............................
....

3. ● Los niños de hoy son más inteligentes que los de antes.

○ Pues yo no creo que. ....
....

4. ● Ya verás como finalmente Juliana y Sebastián se casan...

○ Pues yo no creo que. ....
....

5. ● ¿Has visto mis notas? ¡El profesor me tiene manía!

○ No es cierto que...
....

6. ● El Gobierno está cometiendo errores.

○ ¿Cómo? No es verdad que....................................
....

7. ● Para el 2050 ya no habrá niños con hambre en el mundo.

○ Es imposible que..
....

Usos (III): expresiones valorativas

➤➤ Cuando una oración principal valora o comenta un cierto hecho, que es su frase subordinada, esta segunda frase aparece en subjuntivo.

Ser + adjetivo **que** + subjuntivo

> *Es bueno que **tomes** mucha agua.*

> *Es normal que **estén** enfadados.*

> *Es lógico que **estés** nervioso.*

Parecer + adjetivo/adverbio **que** + subjuntivo

> *Me parece bien que **cambies** de empleo.*

> *Nos parece extraño que no **quieras** venir con nosotros.*

Los verbos que expresan opiniones, sensaciones y sentimientos hacia acciones no realizadas por el propio sustantivo también se expresan con **que** + subjuntivo

> *Me da igual que **venga** o no.*

> *Le gusta que le **llames** para conversar.*

> *Nos preocupa que no **haya** una política medioambiental clara.*

❸ **Atención:** en todos los casos anteriores, el sujeto de la frase principal (entendido como la persona que valora, aunque no sea siempre el sujeto gramatical) y el de la frase subordinada son diferentes. Cuando el sujeto de ambas frases es el mismo, la segunda se formula en infinitivo.

> *Es normal (en general) que **quieras** (tú) una explicación.*
> *Es normal (en general) **querer** (en general) una explicación.*

> *Le parece fatal (a él) que **llegues** tarde. (tú)*
> *Le parece fatal (a él) **llegar** tarde. (él)*

> *Nos gusta (a nosotros) que nos **traigan** (ellos) regalos.*
> *Nos gusta (a nosotros) **traer** (nosotros) regalos.*

Es bueno que tomes mucha agua.

5 ¿QUIÉN VIENE?

Relaciona las frases de la izquierda con su continuación lógica de la derecha.

1. A Luis le encanta venir a vernos,	**a.** debería hacerlo más a menudo.
b. A Luis le encanta que vengamos a verlo,	**b.** deberíamos hacerlo más a menudo.

3. Le parece muy bien que escribas un artículo sobre flamenco,	**c.** se va a informar y dice que así aprende sobre el tema.
4. Le parece muy bien escribir un artículo sobre flamenco,	**d.** dice que sabes mucho.

5. Me preocupa tener que pasar las vacaciones con mi suegro,	**e.** no me resulta fácil convivir con él.
6. Me preocupa que tenga que pasar las vacaciones con mi suegro,	**f.** no le resulta fácil convivir con él.

7. Es normal que tengáis sueño	**g.** cuando se duermen 3 horas.
8. Es normal tener sueño	**h.** si solo habéis dormido 3 horas.

9. Está bien que le digáis la verdad,	**i.** pero no tenéis que contarle todos los detalles.
10. Está bien decir la verdad,	**j.** pero no hace falta contar todos los detalles.

11. Me da igual que no vengas,	**k.** pero al menos llámame.
12. Me da igual venir,	**l.** si quieres, paso a las nueve.

En una relación es normal que tu pareja quiera cambiar las cosas que no le gustan de ti... el problema es que a mi novia había tantas cosas que no le gustaban de mí que me cambió por otro hombre.

6 A FAVOR Y EN CONTRA

A. Estas personas tienen opiniones enfrentadas. Completa las frases con lo que piensan sobre diferentes temas.

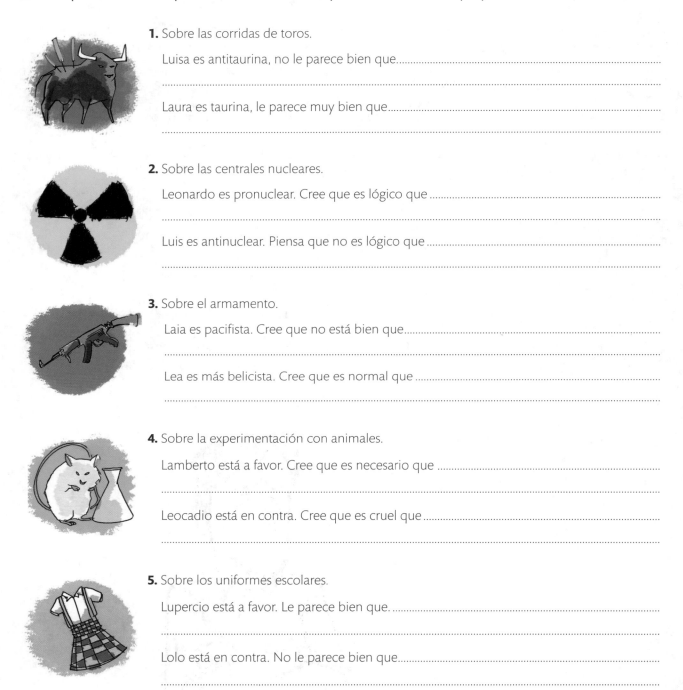

1. Sobre las corridas de toros.

Luisa es antitaurina, no le parece bien que...

....

Laura es taurina, le parece muy bien que...

....

2. Sobre las centrales nucleares.

Leonardo es pronuclear. Cree que es lógico que ....

....

Luis es antinuclear. Piensa que no es lógico que ....

....

3. Sobre el armamento.

Laia es pacifista. Cree que no está bien que..

....

Lea es más belicista. Cree que es normal que ....

....

4. Sobre la experimentación con animales.

Lamberto está a favor. Cree que es necesario que ....

....

Leocadio está en contra. Cree que es cruel que..

....

5. Sobre los uniformes escolares.

Lupercio está a favor. Le parece bien que..

....

Lolo está en contra. No le parece bien que...

....

B. Ahora escucha a esas mismas personas comentando algunas noticias. ¿Quién habla en cada caso?

Laia	Luisa	Lupercio	Lamberto	Leonardo
Lea	Laura	Lolo	Leocadio	Luis

1. ....
2. ....
3. ....
4. ....
5. ....

> Señoras y señores,
> por su seguridad les
> recomendamos que vigilen
> sus pertenencias.

---

7 PUNTOS DE VISTA

Las siguientes frases pueden expresarse de diferentes maneras según el punto de vista. Hazlo tú también siguiendo el ejemplo.

1. A Carla le envían muchas invitaciones a fiestas.
   Le encanta.
   (recibir) Le encanta recibir invitaciones.
   (enviar) Le encanta que le envíen invitaciones.

2. Luis tiene muchos deberes. Le agobia.
   (tener) ....
   (poner) ....

3. En carnaval visten a la niña de flamenca. Les parece muy gracioso.
   (vestir) ....
   (ir vestida) ....

4. Nos traen en coche desde Burgos hasta Madrid. Nos resulta muy cansado.
   (viajar) ....
   (traer) ....

5. Flora me hace regalos personales. Me parece inadecuado.
   (hacer) ....
   (recibir) ....

6. Un único cliente nos compra el 90% de la producción. Nos preocupa.
   (comprar) ....
   (vender) ....

7. Su mujer no le ha llamado en todo el día. Le extraña.
   (llamar) ....
   (recibir llamadas) ....

Usos (IV): el discurso referido en presente

➤➤ En el discurso referido en presente utilizamos el presente de subjuntivo para referirnos a lo que, en el discurso directo, ha sido dicho en imperativo. (Ver Unidad 19, estilo indirecto.)

> *Compra más pan.*
> *Dice que **compre** más pan.*

➤➤ Con otros verbos que resumen o interpretan las palabras de otros, como **recomendar, sugerir, aconsejar**, etc., también pueden aparecer frase subordinadas en subjuntivo, aunque existe la posibilidad de expresar esas mismas ideas usando el infinitivo.

> *¿Por qué no haces algún deporte?*
> *Le recomienda que **haga** algún deporte.*
> *Le recomienda **hacer** algún deporte.*

Ana dice que te calles durante un mes.

8 ¿QUÉ DICE?

A. Fíjate en lo que te dicen estas personas. Reformúlalas como en los ejemplos. ¿Te piden que actúes o te informan de algo?

1. Te vistes a la moda. Dice que me visto a la moda.

2. Vístete a la moda. Dice que me vista a la moda.

3. Eres muy sociable. ....

4. ¡Oye, sé un poco más sociable! ....

....

5. Cuéntanos algún buen chiste, ¡anda! ....

....

6. Cuentas muy buenos chistes. ....

....

7. Pronuncias muy bien las vocales. ....

....

8. Pronuncia mejor las vocales. ....

....

9. Comes demasiadas grasas. ....

....

10. Come más verduras y frutas. ....

....

11. Dime lo que te ha pasado. ....

....

12. Siempre dices lo mismo. ....

....

B. Escucha estas frases en discurso referido. ¿Qué se dijo originalmente?
27

☐ Ten mucha paciencia.	☐ Tienes mucha paciencia.
☐ Ven cada día.	☐ Vienes cada día.
☐ Compra menos pan.	☐ Compras menos pan.
☐ Llega muy temprano.	☐ Llegas muy temprano.
☐ Sé más transigente.	☐ Eres más transigente.
☐ Presta mucha atención.	☐ Prestas mucha atención.
☐ Anda con la espalda muy recta.	☐ Andas con la espalda muy recta.

Usos (V): oraciones subordinadas temporales referidas al futuro

>> En las oraciones subordinadas introducidas por cuando y otros conectores temporales (**en cuanto, hasta que, siempre que**, etc.) se utiliza el subjuntivo cuando se hace referencia a un hecho futuro.

> *Cuando* **acabes** *con eso, avísame.*

> *Cuando* **termine** *los estudios piensa irse al extranjero.*

> *Nos llamarán* *en cuanto* **tengan** *noticias.*

> *No nos iremos* *hasta que* *nos* **den** *noticias.*

>> Si se refieren al presente o a hechos habituales actuales, usamos el indicativo.

> *Cuando* **acaba** *con los deberes, me avisa.*

> *Cuando* **termina** *la jornada, toma algo con sus amigos.*

> *Nos llama cada día* *en cuanto* **sale** *de clase.*

> *No nos vamos* *hasta que* *nos* **dan** *permiso nuestro superiores.*

9 CUANDO DEJE DE LLOVER

Completa cada par de oraciones con la forma adecuada del verbo entre paréntesis.

1. (dejar)

a. Cuando _deja_ de llover el jardín se llena de caracoles.

b. Cuando _deje_ de llover los niños saldrán a jugar en los charcos.

2. (llegar)

a. Cuando .... a México, lo primero que haré será visitar el Zócalo.

b. Cuando .... a México, lo primero que hago es visitar el Zócalo.

3. (cobrar)

a. En cuanto .... pago el alquiler y la cuenta de la tarjeta de crédito.

b. En cuanto .... te devolveré el dinero que me prestaste.

4. (leer)

a. Tan pronto como .... el artículo, cambiarán de opinión, te lo aseguro.

b. Tan pronto como .... un artículo escrito por un economista extranjero, cambian de opinión.

5. (escuchar)

a. Cuando .... a esta nueva banda querrás acompañarme al concierto...

b. Cuando Marisa .... una canción de su país, se emociona y se pone a llorar.

(entrar)

a. Mientras "La mano" .... en las casas, otro ladrón vigila la calle.

b. Mientras "La mano" .... en la casas, un cómplice vigilará la calle.

6. (ir)

a. Mientras .... vestido de esa manera, no te dejarán entrar en las discotecas de moda.

b. Mientras tú .... vestido de esa manera, tu amigos se gastan el sueldo en ropa.

Usos (VI): oraciones subordinadas que expresan finalidad

▶▶ En las oraciones subordinadas que expresan finalidad introducidas con **para que** también se utiliza el subjuntivo.

> *Te he traído estas revistas <u>para que</u> te **entretengas**.*

> *Iré a otro médico <u>para que</u> me **dé** una segunda opinión.*

> *Les hemos dado más tiempo <u>para que</u> **preparen** mejor el examen.*

10 PARA ENTRAR EN CALOR

Completa con la forma adecuada de los verbos siguientes.

comprar	hacer	entender	regalar	doler
poder	estar	probar	predecir	tocar

1. Contrataremos a un organista para que .... durante la ceremonia.

2. ¿Saben tus padres que vamos a ir? Avísales para que .... preparados.

3. Su jefe le ha dado más tiempo para que .... acabar el informe.

4. Te he comprado gambas para que me .... esa paella que te sale tan bien.

5. Ha ido a una vidente para que le .... el futuro. ¿Te lo puedes creer?

6. Voy a explicártelo una vez más para que lo ...., ¿vale?

7. Le voy a dar un calmante para que no le .... esta noche.

8. ¿Me das dinero para que .... el pan?

9. Es un mentiroso, te ha dicho que admira mucho tu obra para que le .... un libro.

10. Nos han dejado un coche del mismo modelo para que lo .... antes de comprarlo.

MUNDO PLURILINGÜE

Traduce estas frases a tu lengua o a otras lenguas que conozcas. ¿Usas alguna forma equivalente al subjuntivo? ¿En todos los casos?

> ¿Qué quieres que haga?

> Espero que estés bien.

> Tal vez vayamos a verte, ¿estarás en casa?

> Es posible que llame mi marido. Avísame si lo hace.

> Es conveniente que tomes mucha agua

> Estoy encantado de que vuelvas a vivir aquí.

> Me han dicho que venga temprano, y aquí estoy.

> Cuando vuelvas del trabajo, ¿puedes pasar por la panadería?

> Estaremos aquí hasta que salga el sol.

....
....
....
....
....
....
....
....
....
....
....
....
....

مرحبا

您好！

¡Hola!

Formas del imperativo

El imperativo tiene cuatro formas, que corresponden a las personas **tú**, **vosotros/as**, **usted** y **ustedes**.

	amar	beber	discutir
Tú	am**a**	beb**e**	discut**e**
Vosotros / vosotras	am**ad**	beb**ed**	discut**id**
Usted	am**e**	beb**a**	discut**a**
Ustedes	am**en**	beb**an**	discut**an**

La forma de la persona **tú** es igual a la del presente para **tú**, pero sin la **-s** final.

	amar	beber	discutir
presente	am**as**	beb**es**	discut**es**
imperativo	am**a**	beb**e**	discut**e**

¿Tú nunca comes verdura? Por eso tienes colesterol. ¡Come verdura!

Las formas de las personas **usted** y **ustedes** son las mismas del presente de subjuntivo.

	amar	beber	discutir
Usted	am**e**	beb**a**	discut**a**
Ustedes	am**en**	beb**an**	discut**an**

Tiene sobrepeso. Esto es una orden: coma más verdura. Y también le recomiendo que haga más deporte.

Hay ocho verbos irregulares en imperativo.

	decir	hacer	ir	poner
Tú	di	haz	ve	pon
Vosotros / vosotras	decid	haced	venid	poned
Usted	diga	haga	venga	ponga
Ustedes	digan	hagan	vengan	pongan
	tener	salir	ser	venir
Tú	ten	sal	sé	ven
Vosotros / vosotras	tened	salid	sed	venid
Usted	tenga	salga	sea	venga
Ustedes	tengan	salgan	sean	vengan

Atención: todas las formas del imperativo afirmativo para vosotros / vosotras son regulares.

Atención: en la variante del Río de la Plata, donde se usa la forma **vos**, el imperativo afirmativo de esta persona se forma quitando la **-s** final a la forma correspondiente del presente. Tampoco hay verbos irregulares.

Poner: *vos ponés* → *poné*

Salir: *vos salís* → *salí*

Todas las formas del imperativo negativo son las mismas del presente de subjuntivo.

	amar	beber	discutir
imperativo negativo	tú no ames	tú no bebas	tú no discutas
subjuntiivo	tú ames	tú bebas	tú discutas

Atención: en la variante del Río de la Plata, en la forma negativa se usa la forma correspondiente a **tú**.

Haz (tú) *la tarea / Hacé* (vos) *la tarea.*

No hagas (tú/vos) *la tarea.*

1 SAL DE CASA

A. ¿De qué productos o servicios hacen propaganda los siguientes eslóganes?

1. ¡Ven a Cartagena!
2. Vuelve a sentir el placer de viajar.
3. *Siente el frescor de la menta en tu boca.*
4. Conduce una máquina perfecta.
5. Sal de casa lleno de energía.
6. Pon una sonrisa en la cara de un niño.
7. Bebe sin precaución.
8. Ama tu cuerpo.
9. Duerme como los ángeles.
10. Siente la llamada de la selva.
11. Haz un bizcocho como el de la abuela.
12. Sé tú mismo, vístete como quieras.

un tren de lujo

turismo en una ciudad

un chicle

una ONG de protección a la infancia

un coche

una cerveza sin alcohol

un colchón   una harina

unos cereales para el desayuno

un gimnasio

turismo en el Amazonas

una marca de ropa

B. Los eslóganes anteriores están todos en la forma **tú**; transfórmalos a la forma **usted**.

1. ....
2. ....
3. ....
4. ....
5. ....
6. ....
7. ....
8. ....
9. ....
10. ....
11. ....
12. ....

2 VEN, VENGA, VENID, VENGAN

🔊 ¿A qué persona van dirigidos los siguientes imperati-
28 vos que vas a escuchar: **tú**, **usted**, **vosotros / vosotras** o **ustedes**?

1. usted .... 6. ....
2. .... 7. ....
3. .... 8. ....
4. .... 9. ....
5. .... 10. ....

Posición de los pronombres

Con las formas de imperativo afirmativo, los pronombres reflexivos y de OD y OI se colocan detrás del verbo formando una sola palabra.

> *Necesito tus apuntes, présta**melos** por favor.*

> *Tienes las manos sucias; láva**telas**.*

Atención: el acento permanece en la posición original del verbo, por lo cual a veces es necesario colocar un acento gráfico.

> *Di* → *di**me***

> *Lava* → *lá**vatelas***

Atención: en la forma de 2.ª persona del plural de los verbos reflexivos, la **d** desaparece.

> *Lavad* → *lava**os***

> *Vestid* → *vest**íos***

> *Sentad* → *senta**os***

En la forma negativa, los pronombres ocupan su posición habitual delante del verbo.

> *Présta**melos*** → *No **me los** prestes*

> *Láva**telas*** → *No **te las** laves*

3 DÍSELO

La novia de Paco espera muchas cosas de él. Paco se lo cuenta a dos amigos: Salvador, que lo anima a actuar para cumplir los deseos de su pareja, y Nacho, que lo anima a hacer justo lo contrario. Completa como en el ejemplo.

Usos del imperativo (I): ruegos, peticiones y órdenes

Usamos el imperativo para hacer ruegos y peticiones o para dar órdenes. En general, usamos el imperativo en situaciones muy codificadas (en el médico, en organismos oficiales, etc.), en situaciones jerárquicamente marcadas y en contextos en los que hay familiaridad. Aun así, solemos suavizarlo con expresiones como **por favor, venga, ¿te importa?** o justificando la petición.

> *Señora Padilla, **alcánceme** el dossier de Inca S.A., por favor.*

> *Por favor, **ayúdame** con este problema de matemáticas. Es que no entiendo nada…*

> ***Llévame** contigo de viaje, venga.*

> *Niños, ¡**callaos** de una vez!*

Atención: su uso sin atenuar y en situaciones de poca familiaridad puede ser entendido como agresivo o descortés y se prefieren otras formas, tales como las preguntas en presente o condicional y expresiones que contienen **te / le molesta**, **te / le importa**, **te / le importaría**, **puede/s**, **podría/s**, etc.

> ***Tráiganos** un poco más de pan.*
> *Por favor, ¿**puede traernos** un poco más de pan?*

> ***Abre** la ventana.*
> *¿**Te importaría** abrir la ventana?*

> ***Pásame** el diccionario.*
> *¿**Me pasas** el diccionario?*

4 SIÉNTESE

A. Escucha estas órdenes y pedidos y di a qué situación corresponde cada una.

29

....

....

....

....

....

 B. Escucha de nuevo y anota las frases que oyes debajo de las ilustraciones del apartado anterior.

29

5 DEME OTRA OPORTUNIDAD

Yannis ha enviado este correo a un profesor suyo de la facultad usando demasiado el imperativo. Seguro que al profesor no le va a gustar nada. ¿Puedes ayudarlo reescribiéndolo?

Señor Domínguez:
Soy Yannis Pavlópoulos, el estudiante de intercambio del curso de Literatura I. Le escribo porque acabo de ver mis calificaciones del semestre. Seguramente usted se ha equivocado, no ha entendido bien mi letra: recuerde que mi alfabeto es diferente... Vuelva a leer el examen y califíquelo nuevamente. Haga memoria y verá que he sido muy buen estudiante durante todo el curso. Tenga en cuenta que he participado mucho. Revise mis exámenes y póngame otra nota. Lea detenidamente mi análisis del Libro de buen amor. O si no, deme otra oportunidad y examíneme otra vez.
Después de corregir las calificaciones, escriba un informe para mi universidad. Tengo que presentarlo a mi regreso a Salónica.
Respóndame a esta misma dirección.
Un cordial saludo.
Pavlópoulos, Yannis.

Usos del imperativo (II): sugerencias, consejos e instrucciones

▶▶ El uso del imperativo es socialmente aceptado para dar sugerencias y consejos, siempre y cuando nuestro interlocutor nos haya solicitado ese consejo.

● *No sé qué hacer con Mauro...*
○ *Pues **llámalo** y **dile** que lo sientes.*

▶▶ Se usa el imperativo, en textos escritos y orales, para dar instrucciones.

***Tome** una pastilla cada 8 horas.*

***Presiona** las teclas Ctrl y K al mismo tiempo.*

***Rehogue** el ajo en aceite de oliva y luego **añada** los calamares.*

***Suban** por estas escaleras y **entren** a la sala 542.*

6 CONECTE LA CAFETERA A LA CORRIENTE

A. Estas son las instrucciones de uso de una cafetera. Imagina que tú trabajas en el servicio al cliente de la marca que las fabrica. Un cliente llama y pregunta cómo se usa el aparato. Explícaselo.

CAFETERA LELITTA

1. Lavar y secar bien el depósito de agua y el filtro del café.

Lave y ....

2. Llenar el depósito con agua fresca del grifo. ....

3. Conectar la cafetera a la corriente, encenderla y esperar hasta que se apague la luz indicadora roja.

....

4. Poner en el filtro una medida de café molido. ....

....

5. Colocar el filtro con el café y girarlo a la derecha hasta que haga clic. ....

....

6. Colocar la taza debajo del filtro. ....

7. Girar el mando frontal hasta la posición 1. ....

8. Cuando el café está listo, volver a poner el mando frontal en la posición 0. ....

....

9. Apagar la cafetera. ....

10. Retirar el filtro, vaciarlo y lavarlo. ....

B. Reescribe las instrucciones usando la forma tú.

Usos del imperativo (III): invitación, aceptación y concesión

» Para invitar, ofrecer algo o conceder permiso también suele usarse el imperativo. En estos casos se suele aceptar sin problemas.

> ● *¿Puedo llevarme estas revistas?*
> ○ *Sí, por supuesto, **llévatelas**.*

> ***Ven** a casa el viernes por la noche. Doy una pequeña fiesta.*

> ● *¿Quieres ver mis apuntes?*
> ○ *Sí, por favor, **déjamelos**.*

> ***Prueba** este pastel… ¡está buenísimo!*

» En algunos de estos casos es habitual duplicar el verbo en imperativo para dar mayor énfasis a la concesión y hacer que nuestro interlocutor se sienta más cómodo:

> ● *Permiso…*
> ○ *¡**Pase, pase**!*

> ● *¿Puedo bajar el volumen de la tele?*
> ○ *Sí, claro, **bájalo, bájalo**.*

7 PASA, PASA

Estás en las siguientes situaciones. Responde afirmativamente a las peticiones usando la misma persona (**tú** o **usted**) que usa el interlocutor y repitiendo el imperativo.

1. ● ¿Puedo pasar, señor Pons? Necesito el dossier del caso Sánz...

   ○ Sí, claro, ..., ...

2. ● ¿Te importa si bajo el volumen de la radio?

   ○ No, tranquilo, ..., ...

3. ● Perdona, Lourdes, ¿puedo llevarme el diccionario?

   ○ Sí, ..., ..., sin problema.

4. ● Oye, Leo, ¿puedo ponerme un poco más de café?

   ○ Sí, ..., ...; no hace falta ni que preguntes.

5. ● ¿Le importa si abro la ventana?

   ○ No, qué va, ..., ...

6. ● ¿Puedo sentarme a su lado?

   ○ Claro, ..., ...

7. ● ¿Le importa si pongo mi bolso aquí?

   ○ No, claro, ..., ...

8. ● ¿Te pued́o preguntar una cosa?

   ○ ...., ...; para eso estoy.

> Aquí debajo hay un cuadro de estrategia. ¡Léelo, léelo!

Estrategia

El uso inadecuado del imperativo, como otras cuestiones relacionadas con la cortesía, puede ser motivo de malentendido cultural. Es esencial observar cómo usan estas formas los nativos: en qué circunstancias, con qué personas, para qué fines y con qué palabras los acompañan.

Los conectores

Los conectores son elementos que sirven para conectar palabras, oraciones y partes de un texto.

> ¿Vienes **o** te quedas?

> Mi mochila no es negra **sino** azul.

> Vete a casa **si** te encuentras mal.

> Quieren cambiar de piso, **por eso** han puesto un anuncio en el periódico.

> Hoy ha llovido **pero** ayer hizo un día muy soleado.

Conectores para expresar causa y consecuencia

▶▶ Algunos conectores sirven para expresar una relación de causa-consecuencia entre dos hechos. Son, entre otros: **porque, es que, como, así que, por eso, de modo que, ya que** y **puesto que**.

> Mi pasaporte había caducado. → No pude viajar.
> *causa*　　　　　　　　　　　 *consecuencia*

▶▶ **Por eso**, **así que** y **de modo que** sirven para introducir una consecuencia que el interlocutor no conoce aún y que se sitúa después de la causa.

> CAUSA, **por eso** CONSECUENCIA
> Mi pasaporte había caducado, **por eso** no pude viajar.

> CAUSA, **así que** CONSECUENCIA
> Las tiendas estaban cerradas, **así que** no pudimos comprar nada.

> CAUSA, **de modo que** CONSECUENCIA
> El doctor está ocupado ahora, **de modo que** lo atenderá más tarde.

JUAN SALIÓ AYER DE FIESTA, DE MODO QUE HOY SE HA DORMIDO EN EL TRABAJO.

🔔 **Atención:** normalmente estos conectores se usan después de una pequeña pausa representada en la lengua escrita por una coma (,).

▶▶ **Porque** introduce una causa que el interlocutor no conoce aún y que se sitúa normalmente después de la consecuencia.

> CONSECUENCIA **porque** CAUSA
> ● No pude viajar a Nueva York **porque** mi pasaporte había caducado.
> ○ Ah, ¿sí? Yo creía que no habías viajado **porque** no te apetecía.

▶▶ **Como** introduce una causa que se presenta como un hecho conocido por los interlocutores y después de la cual se sitúa una consecuencia, presentada como una información nueva.

> **Como** CAUSA, CONSECUENCIA
> **Como** no llevaba dinero, tuve que pedirle 20 € a un amigo.

COMO JUAN SE HA DORMIDO EN EL TRABAJO, SU JEFE LE HA DESPEDIDO.

▶▶ **Es que** se usa en la lengua oral para introducir una causa utilizada como justificación personal ante posibles malas interpretaciones.

> **Es que** CAUSA
> Lo siento, no he podido llamarte, **es que** estaba sin batería.

> ● Anda, pero si te han mandado un ramo de flores.
> ○ **Es que** es mi cumpleaños.

1 COMO, PORQUE, POR ESO, ASÍ QUE...

A. Lee los pares de oraciones e indica cuál es la causa (CA) y cuál la consecuencia (CO) y conéctalas usando los conectores propuestos.

1. .... no tenía dinero (CA) .... volví a casa caminando. (CO)

porque / por eso

2. .... hacía bastante frío en casa (.....) .... encendí la calefacción. (.....)

como / porque

3. .... tuvo un accidente con la moto (.....) .... pasó una semana en el hospital. (.....)

porque / de modo que

4. .... la otra noche salí hasta las tres (.....) .... no había clases al día siguiente. (.....)

porque / como

5. .... Susi dejó la sartén en el fuego mientras hablaba por teléfono (.....) .... se quemó la comida. (.....)

por eso / porque

6. .... Luisa y Fran se han ido a vivir a un piso más pequeño (.....) .... han tenido que regalar algunos muebles. (.....)

porque / así que

7. .... cuando volví a casa me apunté a un gimnasio (.....) .... durante las vacaciones había engordado 3 kilos (.....)

como / porque

8. .... aún tenía una semana de vacaciones (.....) .... se quedó unos días más en Ibiza sin hacer nada. (.....)

como / porque

... y, como no hago nada, estoy aburrido...

2 COMO, PORQUE

A. Relaciona las frases del primer grupo con las del segundo grupo. Luego marca cuál es la causa (CA) y cuál la consecuencia (CO).

1. entramos en casa sin hacer ruido
2. compramos un televisor, un ordenador y una impresora
3. la comida estaba buenísima
4. ninguno de nosotros tenía reloj
5. les encanta el mar
6. la habitación da a una calle muy ruidosa

a. - no queríamos despertar a nadie ....
b. - se han comprado un apartamento en la playa ....
c. - no sabíamos qué hora era ....
d. - había ofertas especiales en todos los aparatos de electrónica ....
e. - no se puede dormir bien ....
f. - felicitamos al cocinero ....

B. Escribe para cada pareja una versión con **como** y otra con **porque.**

a. **como.** Como no queríamos despertar a nadie...

   porque. ....

b. **como.** ....

   porque. ....

c. **como.** ....

   porque. ....

d. **como.** ....

   porque. ....

e. **como.** ....

   porque. ....

f. **como** ....

   porque. ....

> Estoy enfadado contigo porque nunca me escuchas.

> ¿Tú crees? Yo creo que no va a llover.

3 **PORQUE, ES QUE**

Observa las conversaciones y decide cuándo es más adecuado usar **porque** y cuándo **es que.**

a. ● Matilde, son las diez y media. ¿Crees que estas son horas de llegar al trabajo?

   ○ Perdona, ... el tren ha tenido una avería y no he podido llamar...

b. ● ¿Qué te parece si estas navidades nos vamos a esquiar?

   ○ Perfecto, ... han dicho en las noticias de la tele que va a haber mucha nieve.

c. ● ¿Y tú qué opinas? Hace un buen rato que no dices nada.

   ○ Lo siento, ... no sé mucho de ese tema.

d. ● A Carlos y Esther les encantaría venirse con nosotros de fin de semana.

   ○ Ideal, ... en la casa de la montaña hay sitio para cuatro.

e. ● ¿Te apetece comer sopa de primero?

   ○ .... hace un poco de calor. Mejor hacemos algo más fresquito, ¿no?

f. ● ¡Qué pronto has llegado! ¿Pero no habíamos quedado dentro de media hora?

   ○ .... vivo bastante cerca y he llegado antes de lo que pensaba.

g. ● ¡Gracias! ¡Qué detalle tan bonito! Pero no tenías por qué hacerme ningún regalo...

   ○ .... lo vi en la librería y pensé que te gustaría.

h. ● ¿Qué haces en casa a estas horas?

   ○ .... el profe de mates está enfermo y hemos salido antes.

Conectores para expresar contraste entre ideas

▶▶ **Pero** y **aunque** sirven para expresar el contraste entre dos ideas. Ambos conectores pueden usarse para introducir una idea que contrasta con lo que se ha dicho anteriormente.

> IDEA 1, **pero** IDEA 2 (2 contrasta con 1)
> *Santi acaba de llegar al cole, **pero** ya tiene muchos amigos.*

> IDEA 1, **aunque** IDEA 2 (2 contrasta con 1)
> *Santi acaba de llegar al cole, **aunque** ya tiene muchos amigos.*

Estas construcciones presentan las dos ideas como coordinadas, dándoles la misma importancia jerárquica.

▶▶ **Aunque** puede presentar, en una posición inicial, una idea que contrasta con la que le sigue.

> **aunque** IDEA 2, IDEA 1 (2 contrasta con 1)
> ***Aunque** mi coche es bastante viejo, funciona perfectamente.*

Esta construcción presenta la idea que introduce (**es bastante viejo**) como subordinada. La oración principal es la que le sigue (**funciona perfectamente**).

▶▶ **Sino** aparece siempre después de una frase negativa e introduce un elemento afirmado en contraste de un elemento negado en la frase anterior.

> No ELEMENTO 1, **sino** ELEMENTO 2
> *Santi **no** es antipático, **sino** tímido.* (=no antipático, sí tímido)
> *No llegó ayer, **sino** anteayer.* (=no ayer, sí anteayer)

💡 **Atención:** cuando el elemento negado es una frase completa con un verbo conjugado, usamos **sino que**.

> No FRASE 1, **sino que** FRASE 2
> *No se fue de vacaciones, **sino que** se quedó en casa* (=no se fue, sí se quedó)
> *No quiero hacer el trabajo de mañana, **sino que** lo hagas tú por mí.* (=no hacerlo yo, sí hacerlo tú)

💡 **Atención: pero** y **sino** se suelen escribir después de una coma (,) que marca una pausa tras la primera frase.

4 AUNQUE HACÍA FRÍO...

Relaciona cada frase del primer par con su continuación más lógica del segundo par para que tengan sentido.

1. Anoche dormí terriblemente mal,
2. Anoche dormí fantásticamente bien,

a. pero estoy muy cansado.
b. por eso estoy muy cansado.

3. Aunque hacía frío,
4. Como hacía frío,

a. siempre iba en camiseta de manga corta.
b. siempre iba con abrigo.

5. Aunque su familia tiene mucho dinero
6. Como su familia tiene mucho dinero

a. por eso prefiero no salir con ella.
b. pero prefiero no salir con ella.

7. Aunque tiene mucho sentido del humor,
8. Como tiene mucho sentido del humor,

a. esas bromas no le hacen gracia.
b. esas bromas le encantan.

9. He pasado un verano genial,
10. Este verano me han dejado solo

a. aunque he tenido que trabajar bastante.
b. por eso he tenido que trabajar bastante en la oficina.

5 PERO O SINO

A. Observa estas parejas de oraciones, que empiezan igual pero no tienen la misma continuación. En un caso es necesario **pero** y en el otro **sino**.

a.

1. No nos gusta jugar al fútbol, ... al baloncesto.

2. No nos gusta jugar al fútbol, ... a veces vemos algún partido.

b.

1. Los ordenadores de la escuela no son nuevos .... funcionan muy bien.

2. Los ordenadores de la escuela no son nuevos .... viejísimos.

c.

1. En general no hablo de política con mis colegas, ... de otros temas menos comprometidos.

2. En general no hablo de política con mis colegas, ... no tengo inconveniente en hacerlo si sale el tema.

d.

1. Su nueva novia no es Cari, ... Violeta. ¿Es que no lo sabías?

2. Su nueva novia no es Cari, ... tampoco Violeta. ¿A que no adivinas quién es?

Esto es arte contemporáneo.

No es contemporáneo, sino malo.

B. Escucha las siguientes conversaciones y resúmelas usando una frase con **sino** como en el ejemplo.

30/35 **1.** No se casaron en Buenos Aires sino en Bariloche.

....

....

....

....

....

Conectores para expresar la finalidad

Para expresa una relación de finalidad.

> FRASE 1 **para** FRASE 2
> *Quedé con mi amiga Marta **para** tomar un café.*
> (La finalidad era tomar café.)

Atención: cuando el sujeto de las dos oraciones es el mismo, usamos **para** + infinitivo.

> *Elena se tomará unos días de vacaciones **para** descansar.* (Elena es el sujeto de las dos frases)

Cuando el sujeto de las dos oraciones es diferente, podemos usar siempre **para que** + subjuntivo.

> *Elena (sujeto) llevará a su novio a Asturias **para que** conozca a sus padres.* (sujeto = su novio)

Pero en muchas ocasiones, cuando el contexto deja claro quién es el sujeto de la segunda frase, se puede usar la estructura **para** + infinitivo.

> *Elena (sujeto) me llevará a Asturias **para** conocer (sujeto=yo) a sus padres.*

> *Elena (sujeto) me llevará a Asturias **para que** conozca (sujeto = yo) a sus padres.*

Atención: es importante no confundir **para** con **por**, y **para que** con **porque**. Con **para** se introduce una finalidad o el destino de algo y con **por** se introduce una causa o una motivación.

> *Hemos organizado esta fiesta **para** Juan. Cuando lo descubra se alegrará mucho.* (=Juan es el destinatario.)

> *Hemos organizado esta fiesta **por** Juan. Ha insistido mucho.* (=Él es el motivo.)

> *Ginés vuelve a su país **para que** le ayude su familia.* (la ayuda es la finalidad del viaje. Espera conseguirla.)
> *Ginés vuelve a su país **porque** le ayuda su familia.* (la ayuda es la razón del viaje. Ya la ha conseguido.)

> ¡Soy El Hombre ELE y he venido para ayudarte a aprender español!

6 POR ANITA, PARA ANITA

Lee las siguientes oraciones y subraya la opción adecuada sugerida por el contexto.

1.

En verano nunca cenamos en la terraza **por/para** los mosquitos, hay demasiados. Y para poder dormir usamos un espray **por/para** insectos, que evita que te piquen.

2.

● Compré esta novela **por/para** Anita. Ella ya la había leído y me dijo que era muy interesante.

○ ¿Ah, sí? Pues yo precisamente he comprado otra del mismo autor **por/para** mi hermano. ¿Tú crees que a él le gustará?

3.

Enrique estudia mucho **por/para** ser el mejor estudiante de su escuela. Dedica mucho tiempo y esfuerzo. De hecho, ha recibido un diploma **por/para** ser el estudiante con los mejores resultados de su promoción.

4.

El año pasado el gobierno aprobó una ley **por/para** subir un 12% el precio de la gasolina. Lo hizo, pero recibió muchas críticas de los ciudadanos **por/para** subir el precio más de lo anunciado.

5.

Hemos trabajado muy duro **por/para** conseguir ser una escuela moderna y abierta y ahora nos critican **por/para** ser elitistas.

7 ¿POR QUÉ LO HACE?

A. Lee la pareja de oraciones con los conectores **porque** y **para que** y decide después qué continuación corresponde a cada una.

1. El bebé llora para que su madre lo coja en brazos. **2.** El bebé llora porque su madre lo coge en brazos.	**a.** Siempre intenta llamar su atención y no soporta estar lejos de ella. **b.** Le gusta estar solo en su silla sin que nadie le moleste.
3. Enrique se va a Sevilla para que le den un trabajo. **4.** Eduardo se va a Sevilla porque que le dan un trabajo.	**c.** Piensa que allí es fácil encontrar empleo. **d.** Ya ha firmado el contrato y empieza el próximo lunes.
5. Cambiaré el número secreto de la tarjeta para que Luis saque dinero. **6.** Cambiaré el número secreto de la tarjeta porque Luis saca dinero.	**e.** Y no quiero que lo siga haciendo. **f.** Así no necesita pedirme dinero a mí.
7. Se queja porque le visitan sus amigos. **8.** Se queja para que le visiten sus amigos.	**g.** Les dice que hace tiempo que no vienen a verla y que se siente sola. **h.** Siempre están en su casa y no puede concentrarse en sus exámenes.
9. Juan sonríe para que Lucía le diga hola. **10.** Miguel sonríe porque Lucía le dice hola.	**i.** Ella no sabe que él existe y por eso quiere llamar su atención. **j.** Es la primera vez que ella se fija en él y está muy contento.

B. Completa con el conector **porque** o **para que** y selecciona la forma verbal adecuada.

1. Los dueños de este restaurante han bajado los precios ....
viene / venga más gente. Es un lugar muy poco popular.

2. Mi hermano golpea la tele .... **no funciona / no funcione** . Es
un poco bruto porque piensa que así se arreglan las cosas.

3. Úrsula se queja .... María **invita / invite** a Luis a la fiesta. Le
parece muy antipático y no quiere que venga.

4. Ricardo se ha comprado ropa nueva .... **le han dado / le den**
un nuevo empleo. Dice que con un buen traje conseguirá un trabajo bien
pagado.

5. Se ha cambiado de número de teléfono .... un desconocido
le llama / le llame de noche.

6. Se está portando bien .... **le dejamos / le dejemos** el coche...
No sabe que lo hemos vendido y que ya no es nuestro.

¡Funciona!
¡Vamos!

Conectores para expresar la condición

▶▶ **Si** introduce una condición necesaria para que se pueda realizar una acción.

> FRASE 1 **si** FRASE 2
> *Mañana iré a verte, **si** tengo tiempo.*

> **si** FRASE 2, FRASE 1
> ***Si** tengo tiempo, mañana iré a verte.*

Atención: aunque la condición se presente como algo posible en el futuro, no se expresa con tiempos de futuro, sino en presente de indicativo.

> *El año que viene iremos de vacaciones, **si** tenemos dinero.*
> *El año que viene iremos de vacaciones **si** ~~tendremos~~ dinero.*

Atención: no se debe confundir el **si** condicional con el adverbio afirmativo **sí**.

> ● ***Si** te apetece, podemos ir a cenar juntos.*
> ○ *Pues **sí**. ¡Qué buena idea! Seguro que lo pasamos bien.*

Atención: las estructuras **cuando** + presente y **si** + presente pueden referirse a las mismas realidades, pero **si** presenta una condición y **cuando** una acción habitual.

> ***Cuando** llueve y hace sol, sale el arco iris.*

> ***Si** hace sol después de llover sale el arco iris.*

ESTRATEGIA

El uso de la segunda persona del singular es una manera coloquial de hacer frases con un matiz impersonal. Estas frases no son adecuadas en todos los contextos ya que son informales y tratan de tú a nuestro interlocutor.

8 CONDICIONES

Estos avisos y advertencias escritos se pueden expresar en lengua oral mediante frases condicionales con **si** y un verbo en segunda persona del singular. Créalas.

> **NO SE PERMITE LA ENTRADA DESPUÉS DE COMENZAR EL ESPECTÁCULO.**

....
....

> *LOS PASAJEROS CON TARJETA DE FIDELIDAD ORO Y DIAMANTE PUEDEN EMBARCAR EN EL MOMENTO QUE DESEEN.*

....
....

> **+12** *Atracción no permitida a menores de 12 años.*

....
....

> ***2 por el precio de 1***
> *en todos los productos de la marca Don Pimpón.*

....
....

> **ENTRADA GRATUITA**
> hasta las 12 de la noche.

....
....

> **PROHIBIDO EL ACCESO A PERSONAS AJENAS A LA OBRA.**

....
....

9 SI Y CUANDO

Completa las siguientes oraciones utilizando los conectores **cuando** o **si**.

1. .... tengo vacaciones la semana que viene, voy a tu pueblo.

> Cuando tengo algún problema para aprender español, siempre llamo a El Hombre ELE.

2. ¡Qué peli tan aburrida! .... quieres irte a casa antes del final, nos vamos.

3. .... llega el verano, empiezan las vacaciones.

4. .... mañana no hace frío, podemos ir a dar un paseo.

5. ¿Vas a ir a Hollywood? Pues .... ves a algún actor famoso, pídele un autógrafo para mí.

6. .... me toca la lotería, dejo de trabajar una temporada.

7. Por lo general .... termina el otoño, muchos árboles ya no tienen hojas.

8. ¿Qué te pasa? .... te encuentras mal, ve a ver al médico.

 **MUNDO PLURILINGÜE**

Traduce a tu lengua o a otra que conozcas bien estos pares de frases. Observa si usas, en cada caso, un único recurso o dos.

> Te confundiste, no estaba de vacaciones en Las Palmas sino en Palma.

> Es de Las Palmas pero vive el Palma; vaya, un lío.

> Cuando dan las 9 de la noche, se pone el chándal y va corriendo hasta Algorta.

> Si tienes sed, puedes beber un zumo que he dejado en el frigorífico.

> Hemos venido para traerte el pan, pero nos tenemos que ir.

> Nos han multado por tener el coche mal aparcado.

您好！

مرحبا

¡Hola!

Significados básicos de ser y estar

▶▶ Con el verbo **ser** expresamos las características propias –permanentes o no– de algo o alguien, aquello que define o clasifica al sujeto.

> *Patricia **es** colombiana.*

> *Los murciélagos **son** mamíferos.*

> *Diego **era** más joven que Fabián.*

> *Tu niño **es** muy inteligente.*

> ***Éramos** estudiantes.*

❓ **Atención:** con sustantivos, siempre usamos el verbo **ser**.

▶▶ Con el verbo **estar** expresamos los estados del sujeto, como resultado de una acción o de una experiencia.

> *Hoy he trabajado muchísimo… **estoy** muy cansada.*

> *¡Qué delgada **estás**! ¿Haces alguna dieta en especial?*

> *Creo que **estoy** enamorado…*

> *Nina **está** muy contenta, ¿qué le habrá ocurrido?*

❓ **Atención:** con participios que funcionan como adjetivos siempre usamos el verbo **estar**.

❓ **Atención:** con los adverbios **bien** y **mal** y sus comparativos **mejor** y **peor** siempre usamos estar.

> Después de tanto trabajar estoy muy cansado.

1 ESTAMOS CONTENTOS

Completa los siguientes diálogos usando **ser** y **estar**.

1. ● ¿Cómo .... tu hermana?

   ○ Mucho mejor. Ya no tiene fiebre y puede andar un poco, pero .... algo deprimida... Ya sabes, ella .... muy activa, y le molesta .... quieta.

2. ● Tú .... sociólogo, ¿verdad?

   ○ Sí, pero .... parado desde hace dos años.

   ● Vaya...

   ○ Pues sí, la verdad es que .... harto, necesito volver a trabajar.

3. Leonardo .... mucho más delgado últimamente.

4. ¡Qué guapa .... hoy tu hija! Y ese vestido .... precioso.

5. ● Ayer Bruno en la reunión .... muy distraído. ¿Qué le pasa?

   ○ Creo que .... enamorado.

6. ● ¿Tú sabes qué .... un oxímoron?

   ○ .... una figura retórica, ¿no?

7. Anoche fuimos al nuevo restaurante cubano que abrieron en la ciudad vieja. ¡............... muy bien!

Ser y estar con el mismo adjetivo

➤➤ En muchos casos, se puede usar **ser** o **estar** con un mismo adjetivo. Si queremos expresar que la cualidad referida es un característica esencial del sujeto, usaremos **ser**. Si queremos expresar que es un estado o el producto de un cambio, **estar**.

> La hija de Ximena **es** muy <u>alta</u> y muy <u>guapa</u>.
> ¿Esta **es** tu hija, Ximena? ¡Cómo ha crecido! ¡Qué <u>alta</u> y qué <u>guapa</u> **está**!

➤➤ Del mismo modo, cuando valoramos alimentos o bebidas, usamos **ser** para valorarlo en general y **estar** para referirnos a un plato o a una bebida concretos.

> El gazpacho **es** <u>riquísimo</u>… ¡pero este **está** <u>horrible</u>!

> ¡Oye! ¡Estos tamales **están** <u>buenísimos</u>!

> El café colombiano **es** muy <u>aromático</u>.

> Uy… el café **está** demasiado <u>dulce</u>.

En algunos casos, un mismo adjetivo puede tener dos significados diferentes dependiendo de si se usa con el verbo **ser** o con **estar** y con qué palabras.

> Estas manzanas **están** <u>verdes</u>. (no maduras)
> Las manzanas reinetas **son** <u>verdes</u>. (color)
> ¿Qué le pasa a la tele? **Está** <u>verde</u>. (color)

> Estos niños **son** <u>listos</u> de verdad. (inteligentes)
> ¿Los niños **están** <u>listos</u>? (preparados)

> El profe de mates **es** <u>bueno</u>. (en términos de calidad o bondad)
> El profe de mates **está** <u>bueno</u>. (manera coloquial de decir que es atractivo)

> Hoy estás muy guapo.

> Perdona, querida. No estoy guapo, ¡soy guapo!

> Vale, querido. Eres muy guapo… ¡y también eres bastante idiota!

2 ESTÁ MUY RARO

Relaciona cada fra se de la izquierda con su continuación más lógica a la derecha.

1. Jorgina es muy blanca,	**a.** … debería tomar un poco de sol.
2. Jorgina está muy blanca,	**b.** … no debería tomar mucho sol.
3. Juan es muy raro,	**c.** … por eso no tiene amigos.
4. Juan está muy raro,	**d.** … no sé que le pasa.
5. Mis zapatos nuevos son verdes,	**e.** … con la humedad la piel se ha estropeado.
6. Mis zapatos nuevos están verdes,	**f.** … a juego con el vestido.
7. Jenaro es alegre,	**g.** … ha bebido más de la cuenta.
8. Jenaro está alegre,	**h.** … una persona llena de energía positiva.
9. José es muy guapo,	**i.** … pero últimamente está más guapo todavía.
10. José está muy guapo,	**j.** … pero no es un hombre guapo.
11. Juani es muy joven,	**k.** … tiene menos de 20 años.
12. Juani está muy joven	**l.** … para tener 65 años.
13. Jaime era muy bueno,	**m.** …parecía un modelo famoso.
14. Jaime estaba muy bueno,	**n.** … todas sus colegas confiaban en él.

Espacio y tiempo

⏩ Para localizar algo en el espacio, utilizamos **estar** como sinónimo de "encontrarse".

*El glaciar Perito Moreno **está** en Argentina.* (= se encuentra en…)

*Alejandro **está** en Ecuador.* (= se encuentra en…)

❔ **Atención:** si hablamos de la ubicación de algo a la vez que informamos de su existencia, usamos el verbo **haber**.

*En España **hay** muchas montañas.*

⏩ Usamos **ser** para referirnos al lugar o al momento en que se desarrolla un acontecimiento. En estos casos, es sinónimo de "ocurrir" o de "tener lugar".

*El terremoto **fue** en alta mar, a 180 km de la costa.*

*La boda **será** el jueves en el Ayuntamiento.*

⏩ Para hablar de la fecha, la hora y otras referencias temporales, usamos **ser**.

*Hoy **es** martes 11 de agosto de 2009.*

*¡Qué bien! ¡Ya **es** primavera!*

***Es** tardísimo, nos tenemos que ir.*

Pero si usamos el sujeto nosotros, utilizamos el verbo **estar**.

***Estamos** a 11 de agosto.*

***Estamos** en invierno.*

***Estamos** en 2009.*

3 MECANO

Escribe las ocho frases usando un elemento de cada columna.

1. Hoy	es	a	
2. El jueves	está	en	7 de enero.
		ø	

3. Hoy	somos	a	
	estamos	en	7 de enero.
		ø	

4. Es 30 de marzo,	a		es	a	primavera.
5. Es 30 de octubre,	en	Europa	está	en	verano.
	ø			ø	otoño.
					invierno.

6. Es 30 de marzo,	a		somos	a	primavera.
7. Es 30 de octubre,	en	Europa	estamos	en	verano.
	ø			ø	otoño.
					invierno.

8. ¿No	somos	a	
	estamos	en	el año 2011?
		ø	

ESTRATEGIA

Para situar en el tiempo podemos usar diferentes verbos, y también diferentes preposiciones: **estamos a 3 de diciembre; hoy es 4 de enero, el concierto es a las 4; es primavera, estamos en otoño**, etc. Intenta recordar ambas cosas para poder expresarte con corrección y precisión.

4 ÉRAMOS COMPAÑEROS DE FACULTAD

A. Gregorio nos cuenta su primera historia de amor. Completa con **ser** o **estar** en el tiempo adecuado.

Analía y yo nos conocimos hace diez años. .... septiembre. Yo .... un semestre en Italia con una beca y cuando volví puse un anuncio en el tablón de la biblioteca buscando una persona con la que conversar en italiano. Entonces ella me llamó. Su padre .... de Génova pero, increíblemente, ella nunca .... en Italia y, aunque hablaba italiano, tampoco tenía con quién practicar. Total, que quedamos en la cafetería de la facultad esa misma tarde. Cuando llegó, no me lo podía creer: .... guapísima. Comenzamos a hablar sobre mil cosas; yo .... fascinado: además de guapa, ... muy culta y .... interesada en muchos temas diferentes.

Decidimos reunirnos una vez por semana para conversar y, a las pocas semanas, yo ya .... totalmente enamorado, aunque ella no parecía darse cuenta. Finalmente le confesé lo que sentía y ella me dijo que yo también le gustaba. .... saliendo unos meses hasta que un día me llamó y me dijo que salía con otro chico. .... deprimido un tiempo, pero bueno... Ahora .... muy contento con Lidia, mi pareja actual. Ella .... muy especial, ... una gran compañera y .... siempre a mi lado. .... muy bien juntos.

🔊 **B.** Ahora escucha el relato de Gregorio y comprueba tus respuestas.
36

5 SI HOY ES MARTES, ESTAMOS EN TOLEDO

Completa las frases siguiendo este código y poniendo los verbos en la persona y el tiempo adecuados:

.... : **ser** o **estar**

.... : **a**, **en**, **ø**

1. Hoy .... 25 de julio. .... España .... verano, y .... Argentina, invierno.

2. Entre España y Argentina hay 6 horas de diferencia horaria: cuando .... Madrid .... las 10 de la mañana, ... Buenos Aires .... las 4 de la madrugada.

3. La final del campeonato .... hoy .... las 10 de la noche, hora inglesa; es decir, que .... las 9 de la noche, hora española.

4. El aeropuerto de Bilbao .... el municipio de Loiu.

5. Nuestro vuelo .... las 13.00, o sea que tenemos que .... en el aeropuerto a las 12.00 o así.

6. ● La semana pasada mi novio y yo .... Almagro.

   ○ ¿Almagro?

   ● Sí, ... un pueblo muy bonito que .... la provincia de Ciudad Real.

7. ¡Es increíble! ¡ .... primavera y sin embargo .... 4 grados!

8. ● ¿Qué día .... hoy?

   ○ ¿Hoy? .... martes.

El estilo indirecto (I)

El estilo indirecto o discurso referido es la transmisión, en un nuevo contexto temporal y muchas veces también espacial, de las palabras dichas por otros o por nosotros mismos.

> ● *Tengo hambre.*
> ○ *Perdona, ¿qué has dicho?*
> ● *Que tengo hambre.*

Cuando el hablante considera que las referencias temporales del discurso original ya no son vigentes, se dan una serie de cambios en los tiempos verbales.

Discurso original	Estilo indirecto cuando las referencias temporales ya no son vigentes *Aquel día me dijo que...*
Presente	Pretérito imperfecto
"Estoy cansado." →	*...estaba cansado.*
Pretérito perfecto	Pretérito pluscuamperfecto
"He estado nadando." →	*...había estado nadando.*
Pretérito imperfecto	no cambia
"Tenía hambre." →	*...tenía hambre.*
Pretérito indefinido	Pretérito pluscuamperfecto
"Ayer perdí las llaves." →	*...el día antes había perdido las llaves.*
Futuro imperfecto	Condicional simple
"Pasaré unos días en Badajoz." →	*...pasaría unos días en Badajoz.*
Futuro perfecto	Condicional compuesto
"El martes habré terminado los exámenes." →	*... el martes habría terminado los exámenes.*

Cuando el hablante considera que las referencias temporales del discurso original aún son vigentes no se producen cambios en los tiempos verbales. Únicamente el imperativo se transforma en presente de subjuntivo.

Discurso original	Estilo indirecto cuando las referencias temporales son aún vigentes *Dice que...*
Imperativo	Condicional compuesto
"El martes cómprame un billete de lotería." →	*...el martes le compre un billete de lotería.*

1 ¡ESE VOLUMEN!

A. En la fiesta de Tito la música está a todo volumen y la persona que tienes a la izquierda, Lara, no oye lo que dice la que tienes a la derecha, Teo. ¿Cómo se lo transmites tú?

TEO:	TÚ:
● Hay mucha gente, ¿no? Necesito aire, voy al balcón.	◆ *Dice que....*
● Blas me ha llamado esta mañana para invitarme.	◆ *Dice que...*
● Ayer estuve con Flora: me dio recuerdos.	◆ *Dice que...*
● Me encanta ese cuadro de ahí, es precioso.	◆ *Dice que...*
● El día de mi cumplea-ños haré una fiesta como esta.	◆ *Dice que...*
● Me gustaría tener un piso como este. Es per-fecto para hacer fiestas.	◆ *Dice que....*

¿Qué dice Teo?

B. En la fiesta de Tito robaron un valioso cuadro, la policía sospecha de Teo y el inspector Gámez quiere saber todo lo que Teo dijo aquel día. ¿Cómo se lo transmites tú? Lee antes la sección de gramática de la página siguiente.

TEO:	Inspector Gámez:	TÚ:
● Hay mucha gente, ¿no? Necesito aire, voy al balcón.	○ ¿Qué dijo Teo aquel día?	◆ *Dijo que...*
● Blas me ha llamado esta mañana para invitarme.	○ ¿Qué dijo Teo aquel día?	◆ *Dijo que...*
● Ayer estuve con Flora: me dio recuerdos.	○ ¿Qué dijo Teo aquel día?	◆ *Dijo que...*
● Me encanta ese cuadro de ahí, es precioso.	○ ¿Qué dijo Teo aquel día?	◆ *Dijo que....*
● El día de mi cumpleaños haré una fiesta como esta.	○ ¿Qué dijo Teo aquel día?	◆ *Dijo que...*
● Me gustaría tener un piso como este. Es perfecto para hacer fiestas.	○ ¿Qué dijo Teo aquel día?	◆ *Dijo que...*

El estilo indirecto (II)

▸▸ El estilo indirecto se introduce mediante verbos como **decir**, **afirmar**, **comentar**, **contar**, **admitir**, etc. y el conector **que**.

> *¡Lola me **ha dicho que** te vas a casar!*

> *López **afirma que** está preparado para el trabajo.*

> *Leonardo **ha admitido que** tiene miedo a volar.*

❔ **Atención:** cuando el discurso que repetimos se acaba de pronunciar, no es necesario el verbo de introducción y se puede usar simplemente el conector **que**.

> ● *Espérame aquí…*
> ○ *¿Cómo dices?*
> ○ ***Que** me esperes aquí.*

▸▸ Al modificarse las coordenadas personales, pueden sufrir cambios las palabras con marca de persona, como los verbos, los posesivos y los pronombres.

> *[Marta a Luis]* **Yo canté** *en **tu** fiesta de cumpleaños, ¿no te acuerdas?*
> → *[Luis a otra persona] Me dijo que **ella había cantado** en **mi** fiesta de cumpleaños.*

▸▸ Al modificarse las coordenadas espaciales, también pueden sufrir cambios los demostrativos, los verbos de movimiento y las referencias espaciales.

> *Vinimos a **este** cámping por casualidad, pero nos encantó y nos quedamos **aquí** 3 semanas.*
> → *Me dijo que **habían ido** a **ese** cámping por casualidad, pero les había encantado y se habían quedado **allí** 3 semanas.*

▸▸ Se pueden modificar también las referencias temporales.

> ***Hoy** y **mañana** son días muy importantes porque el curso empieza **esta semana**.*
> → *Me dijo que **ese día** y **el siguiente** eran muy importantes porque el curso empezaba **esa semana**.*

▸▸ Si lo que referimos es una pregunta, la introducimos con verbos como **preguntar** o **querer saber**. Si la pregunta es abierta, con una forma interrogativa como **qué**, **quién**, **cuándo**, **dónde**, etc., retomamos esa forma interrogativa.

> *¿**Dónde** estudió usted?* → ***Me ha preguntado dónde** estudié.*

▸▸ Si la pregunta es cerrada (de respuesta **sí** / **no**) la introducimos con el conector **si**.

> *¿Quieres trabajar en el proyecto?* → ***Me ha preguntado si** quiero trabajar en el proyecto.*

> El presidente del club de fútbol ha declarado que Romero, la estrella del equipo, no va a renovar...

ESTRATEGIA

El estilo indirecto nos obliga a "repensar" las palabras de los otros. No es algo que se pueda hacer automáticamente: en primer lugar, tenemos que entender qué referencias personales, espaciales y temporales han cambiado y cómo debemos expresar eso desde nuestra posición actual.

2 ESPIONAJE

A. Una espía se ha escondido en el despacho del señor Páez, director de una importante empresa. Lee las diferentes conversaciones que tuvo el señor Páez y ayuda a la espía a redactar su informe.

> **10.03:** ¡Hola Gerardo! ¿Has conseguido encontrar mis notas?

> **10.13:** ¿Qué tal, Martínez? ¿Cuándo me vas a traer el prototipo?

> **10.25:** Claro, claro, Lourdes. ¿Podrás venir esta tarde?

> **10.35:** Dígame, señora Puig, ¿cuándo piensa volver a visitarnos?

> **10.55:** Paco, ¿tus hijos van a ir al campamento de verano del Ayuntamiento?

> **11.05:** Sí, sí, Flora. Esta tarde tendremos los resultados del test y decidiremos si continuamos con el proyecto o no.

> **11.23:** Claro, Antonio. Ayer estuve con tus abogados y me contaron que has ganado el juicio.

- A las 10.03 habló con un tal Gerardo y le preguntó si...

-

-

-

-

-

-

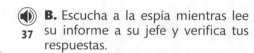 **B.** Escucha a la espía mientras lee su informe a su jefe y verifica tus respuestas.

37

3 MIENTRAS USTED ESTABA REUNIDA...

Eres asistente de la sra. Estévez. Ella ha estado toda la tarde reunida con unos clientes. En ese tiempo, han llegado muchos correos electrónicos, mensajes y SMS. Escríbele una nota para cada mensaje.

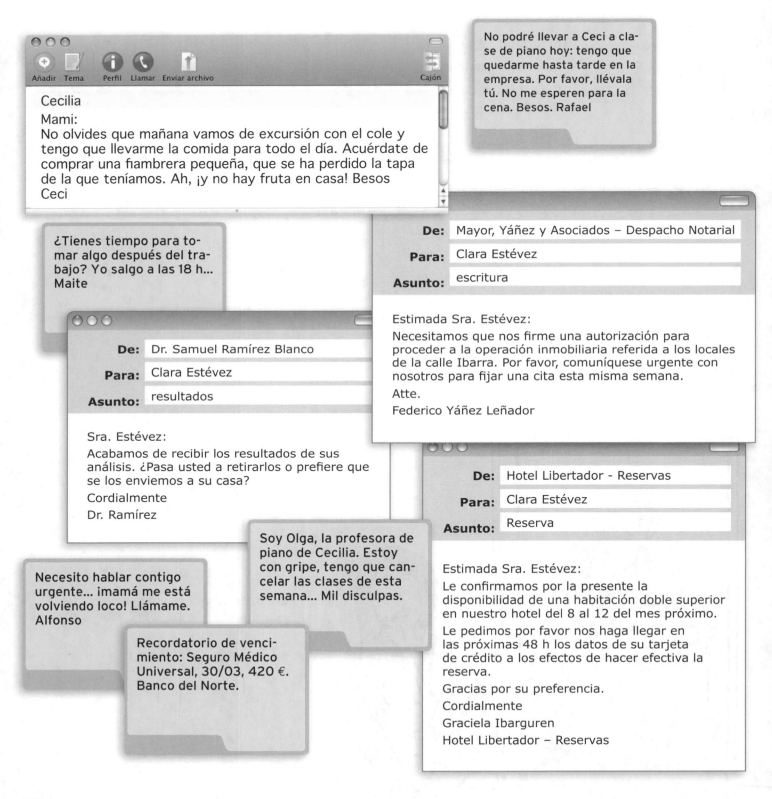

No podré llevar a Ceci a clase de piano hoy: tengo que quedarme hasta tarde en la empresa. Por favor, llévala tú. No me esperen para la cena. Besos. Rafael

Añadir Tema Perfil Llamar Enviar archivo   Cajón

Cecilia

Mami:
No olvides que mañana vamos de excursión con el cole y tengo que llevarme la comida para todo el día. Acuérdate de comprar una fiambrera pequeña, que se ha perdido la tapa de la que teníamos. Ah, ¡y no hay fruta en casa! Besos Ceci

¿Tienes tiempo para tomar algo después del trabajo? Yo salgo a las 18 h... Maite

De: Mayor, Yáñez y Asociados – Despacho Notarial
Para: Clara Estévez
Asunto: escritura

Estimada Sra. Estévez:
Necesitamos que nos firme una autorización para proceder a la operación inmobiliaria referida a los locales de la calle Ibarra. Por favor, comuníquese urgente con nosotros para fijar una cita esta misma semana.
Atte.
Federico Yáñez Leñador

De: Dr. Samuel Ramírez Blanco
Para: Clara Estévez
Asunto: resultados

Sra. Estévez:
Acabamos de recibir los resultados de sus análisis. ¿Pasa usted a retirarlos o prefiere que se los enviemos a su casa?
Cordialmente
Dr. Ramírez

Soy Olga, la profesora de piano de Cecilia. Estoy con gripe, tengo que cancelar las clases de esta semana... Mil disculpas.

De: Hotel Libertador - Reservas
Para: Clara Estévez
Asunto: Reserva

Estimada Sra. Estévez:
Le confirmamos por la presente la disponibilidad de una habitación doble superior en nuestro hotel del 8 al 12 del mes próximo.
Le pedimos por favor nos haga llegar en las próximas 48 h los datos de su tarjeta de crédito a los efectos de hacer efectiva la reserva.
Gracias por su preferencia.
Cordialmente
Graciela Ibarguren
Hotel Libertador – Reservas

Necesito hablar contigo urgente... ¡mamá me está volviendo loco! Llámame. Alfonso

Recordatorio de vencimiento: Seguro Médico Universal, 30/03, 420 €. Banco del Norte.

Su hija quiere que le compre una fiambrera para la excursión...

Transmitir la intención comunicativa

⏵⏵ En muchos casos no deseamos transmitir los mensajes de manera literal, sino que preferimos resumir o transmitir la intención comunicativa. Estos son algunos de los verbos que cumplen esa función:

admitir (algo)
agradecer (algo, a alguien)
dar la razón (a alguien, sobre algo)
despedirse (de alguien)
disculparse (con alguien, por algo)
felicitar (a alguien, por algo)
insistir (en algo, a alguien)
invitar (a alguien, a algo)
pedir (algo, a alguien)
poner excusas (para algo)
preguntar (a alguien, por algo)
proponer (algo, a alguien)
protestar (por algo)
quedar (en algo, con alguien)
reconocer (algo)
recordar (algo, a alguien)
regañar (a alguien, por algo)
responder (a alguien, sobre algo)
saludar (a alguien)
sugerir (algo, a alguien)

● *¡Hola, Claudia! ¡Cuánto tiempo sin verte!*
○ *¡Marcela! ¿Cómo estás? ¿Qué es de tu vida? ¿Qué tal está tu hermana?*
● *Bien, bien... Oye, tengo que ir a buscar a los niños, pero ¿nos llamamos y vamos a tomar algo?*

4 LO ADMITIÓ

Resume en pretérito perfecto estas intervenciones. Usa alguno de estos verbos (puede haber más de una opción).

admitir   agradecer   dar la razón   felicitar

disculparse   insistir   invitar

poner excusas   reconocer   regañar

1. Manolo a Pedro: Oye… el sábado doy una pequeña fiesta por mi cumpleaños… A las nueve, en mi casa. Vienes, ¿verdad?

Manolo ha invitado a Pedro a ....

....

2. Lolo: Bueno, está bien… fui yo quien rompió la impresora…

....

....

3. Laila a Maribel: ¡Enhorabuena! ¡Me alegro mucho de que te hayan ascendido!

....

....

4. Pedro: ¡Venga, ven esta noche a la despedida de Jimena!

Pablo: Ya te lo he dicho: tengo que estudiar.

Pedro: Aunque sea una hora, ¡venga! ¡no seas así!

....

....

5. Lupe: Lo siento mucho, señor Fernández. No quería mancharle el traje.

....

....

6. Maribel a Laila: Gracias por tu ayuda, en serio, menos mal que me has ayudado a traducir el correo.

....

....

7. Moisés a Arturo: ¿Cuántas veces tengo que repetirte que guardes la leche en la nevera? ¿En qué idioma tengo que decírtelo? ¿eh?

....

....

8. Mario a Elena: Me encantaría poder ayudarte pero es que Marisa está visitando a sus padres en el pueblo.

....

....

9. Juan: Bueno, está bien, el camino más corto era el que tú decías.

....

....

5 DEJE SU MENSAJE DESPUÉS DE LA SEÑAL

🔊 38/42 Acabas de regresar a casa y encuentras en el contestador todos estos mensajes para tu compañero de piso. Déjale notas con el contenido de los mensajes.

Ángel te pide que lo ayudes a reparar su ordenador, que está como muerto.

La voz pasiva

Mediante las construcciones pasivas y las impersonales destacamos el objeto –la persona o cosa afectada por la acción del verbo– o la acción misma. El sujeto queda en un segundo plano o no se menciona.

» La oraciones pasivas se forman con el verbo **ser** y el participio pasado del verbo en cuestión.

» El objeto directo de la oración activa (**a los ladrones**) es el sujeto de la oración pasiva, mientras que el sujeto de la oración activa (**la policía**) es el complemento agente de la oración pasiva y va precedido de la preposición **por**.

> ORACIÓN ACTIVA
> **La policía** *ha detenido* **a los ladrones.**
> *sujeto activo*   *objeto directo*
>
> ORACIÓN PASIVA
> **Los ladrones** *han sido detenidos* **por la policía.**
> *sujeto pasivo*   *complemento agente*

» En la oración pasiva, el verbo **ser** se conjuga en el mismo tiempo que el verbo de la oración activa y concuerda en número y persona con el sujeto pasivo.

> *Los terremotos de Santa Marta en el año 1773* <u>*destruyeron*</u> *la ciudad.* (oración activa)
>
> *La ciudad* <u>*fue destruida*</u> *por los terremotos de Santa Marta en el año 1773.* (oración pasiva)

Atención. el participio en la oración pasiva concuerda en género y en número con el sujeto pasivo. Esto no sucede con los participios en las oraciones activas.

> *La policía ha detenido a los ladrones.* (el participio no concuerda con el sujeto.)
>
> **Los** *ladrones han sido detenidos.* (hay concordancia)
>
> **La** *ladrona ha sido detenida.* (hay concordancia)

» En español oral, las oraciones pasivas son poco frecuentes y solo se utilizan en registros formales. En la lengua escrita, es habitual usar la forma pasiva en noticias y titulares de prensa. En los titulares, a veces se omite el verbo **ser**.

» Cuando consideramos que no es necesario mencionar quién ha realizado una acción o no lo sabemos, el complemento agente no aparece.

> *Un valioso cuadro de Goya* **fue robado** *ayer en Burdeos.* (No sabemos quién lo ha robado.)

1 NOTICIAS

Transforma las siguientes oraciones activas en frases pasivas con el verbo **ser**. Hay varias formas posibles de ordenarlas.

1. El Congreso aprobó ayer la ley antitabaco.

....

....

2. Un vecino de la localidad vio a la sospechosa saliendo de la discoteca.

....

....

3. La policía desactivó dos artefactos explosivos en las cercanías de la estación.

....

....

4. El equipo de salvamento localizó a los dos montañistas desaparecidos el domingo pasado.

....

....

5. Las llamas destruyen dos casas de la localidad de Berceo.

....

....

6. La policía de tráfico detuvo la noche pasada a más de cien conductores.

....

....

2 LA MEZQUITA DE CÓRDOBA

A. El texto siguiente resume la historia de la célebre mezquita de Córdoba. Subraya en él todas las formas pasivas que encuentres.

Al caer Córdoba bajo dominio árabe, la basílica de San Vicente, que era el templo cristiano más importante de la ciudad, fue en parte destruida para construir en su lugar una mezquita. La construcción fue iniciada sobre los restos de la iglesia cristiana bajo el reinado de Abderramán I, entre el 780 y el 785. La mezquita fue ampliada varias veces en los siglos IX y X y las obras fueron concluidas bajo Almanzor.

La más importante de estas ampliaciones fue realizada bajo el gobierno de Alhakén II: las columnas y los arcos del templo cristiano eran demasiado bajos para un espacio tan grande y el arquitecto decidió colocar nuevas columnas sobre las columnas ya existentes y arcos más altos, pero sin eliminar los antiguos. Los arcos inferiores y superiores fueron pintados en rojo y blanco y son hoy en día la imagen más conocida de la mezquita de Córdoba.

La mezquita, junto al centro histórico de Córdoba, fue declarada patrimonio mundial por la Unesco.

La voz pasiva con **estar**

También existen construcciones pasivas con el verbo **estar**.

> *La riada ha inundado **muchas casas** próximas al río.*
>   objeto directo
> ***Muchas casas** próximas al río **están inundadas**.*
> sujeto

➤➤ En este tipo de oración pasiva, lo importante es el resultado de la acción del verbo y el efecto sobre el sujeto paciente. Por este motivo, no suele aparecer el complemento agente.

> *Las obras **estarán terminadas** a finales del mes de julio.*

➤➤ En la oración pasiva, el verbo **estar** no siempre se conjuga en el mismo tiempo que el verbo de la oración activa. Esto es así porque lo importante es el resultado de la acción y no la acción misma.

> ***Terminarán** las obras a finales de julio.*
> *futuro imperfecto*
>
> *Las obras **estarán terminadas** a finales de julio.*
>   *futuro imperfecto*
> (el resultado es simultáneo a la acción)

> ***Han traducido** la novela a siete idiomas.*
> *pretérito perfecto*
>
> *La novela **está traducida** a siete idiomas.*
>   *presente*
> (el resultado es posterior a la acción)

B. Busca información y escribe una descripción como esta de algún monumento que conozcas.

....
....
....
....
....
....
....
....
....

ESTRATEGIA

Para escribir en español, puede servirte de ayuda tomar como modelo textos auténticos sobre el tema que quieras tratar. Así puedes observar qué estructuras gramaticales y qué vocabulario específico usan normalmente los hablantes nativos en ese tipo de texto.

3 ¿YA ESTÁN GUARDADAS?

Bautista es el mayordomo perfecto: cuando le preguntan si ha hecho alguna tarea, él siempre la ha realizado ya. Fíjate en la forma que usa para responder en el ejemplo y úsala tú en las demás frases.

1. ● Bautista, ¿ha guardado usted las copas de *armagnac*?

○ Sí, señora, ya están guardadas.

2. ● Bautista, ¿ha planchado usted los manteles blancos?

○ ....

3. ● Bautista, ¿ha cortado el césped de la entrada?

○ ....

4. ● Bautista, ¿ha doblado usted la ropa?

○ ....

5. ● Bautista, ¿ha encerado usted el suelo del salón?

○ ....

6. ● Bautista, ¿ha preparado la sopa para la cena?

○ ....

7. ● Bautista, ¿ha arreglado usted la batidora?

○ ....

8. ● Bautista, ¿ha comprado usted las entradas para la ópera?

○ ....

9. ● Bautista, ¿ha hecho usted las copias de las llaves?

○ ....

Maneras de expresar impersonalidad (I)

▶▶ Se + verbo en 3ª persona del singular o del plural

Con esta estructura centramos la atención en la acción expresada por el verbo, mientras que no especificamos quién la realiza. Usamos esta forma para dar instrucciones o prohibiciones, para generalizar…

> ***Se vive*** bien aquí. (generalización)

> No ***se admiten*** perros. (prohibición)

Cuando el verbo de la oración se refiere a un sustantivo, concuerda con este en número.

> ***Se vende*** <u>piso</u> con amplia terraza.

> Para preparar la tortilla, primero ***se baten*** <u>los huevos</u>.

En estas oraciones, al igual que en la oración pasiva, el objeto afectado por la acción del verbo (**piso** o **los huevos**) se convierte en sujeto gramatical y concuerda con el verbo.

☺ Atención: no hay concordancia con el verbo cuando el sustantivo va introducido por la preposición **a**:

> ***Se detuvo*** a los ladrones.

> ~~***Se detuvieron*** a los ladrones.~~

▶▶ Verbo en 3ª persona del plural

Esta forma impersonal también se utiliza para referir acciones realizadas por una persona o varias, cuando la identidad del sujeto se desconoce o no tiene importancia para el hablante y lo que interesa es la acción misma. En la lengua oral, es una forma mucho más habitual que la construcción pasiva.

> ***Van*** a subir otra vez el precio de la gasolina. (no queremos o podemos precisar quién va a hacerlo.)

> ***Han visto*** a la actriz saliendo de una conocida discoteca de Madrid. (no importa quién la ha visto.)

Esta forma impersonal excluye al hablante y al oyente como posibles sujetos.

4 COMENTARIOS

Coméntale a alguien lo que has leído en los siguientes titulares utilizando la tercera persona del plural.

1. **Han sido subastadas algunas fotografías inéditas de Marilyn.**

Por lo visto han subastado....

2. **Han sido encontrados los restos de un dinosaurio en las cercanías de Toledo.**

3. Confiscado un cargamento de animales protegidos en el puerto de Barcelona.

4. **Atraco al Banco Central: los ladrones se llevaron joyas y otros objetos por un valor de más de 10 millones de euros.**

5. **Mañana será inaugurada la exposición de Matisse en el Centro de Arte Reina Sofía.**

6. La policía localiza al niño que se fugó de su casa hace dos días.

Maneras de expresar impersonalidad (II)

>> **Verbo en 2ª persona del singular**

Con la segunda persona nos referimos, en general, a todo el mundo; es decir, a un sujeto genérico que incluye normalmente a la persona que habla y al interlocutor. Es una forma propia de la lengua oral.

*Aquí, cuando **viajas** en tren, sabes a qué hora sales, pero no a qué hora llegas.*

*Si **quieres** tener amigos, tienes que dedicarles tiempo.*

A veces se usa esta forma para dar carácter general a algo que afecta a la persona que habla.

En esta familia, si no lo haces todo perfecto, no eres un buen hijo. (el hablante se refiere a sí mismo.)

>> **Uno/a + 3ª persona del singular**

Otra manera de expresar impersonalidad es el uso de **uno** o **una** con el verbo en la tercera persona del singular. Es equivalente a la segunda persona del singular como forma impersonal y se trata también de una forma propia de la lengua oral.

***Uno** no puede fiarse de nadie.* (= no puedes fiarte de nadie.)

***Uno** no sabe qué pensar cuando ve estas cosas.* (= no sabes qué pensar cuando ves estas cosas.)

Al igual que en el caso de la segunda persona del singular, esta forma impersonal incluye a los interlocutores como posibles agentes de la acción y se usa también para generalizar algo que afecta al hablante.

5 SE COME DE UNA A TRES

A. A continuación tienes algunas afirmaciones sobre hábitos sociales en España. ¿Crees que son verdaderas o falsas?

	V	F
1. En España normalmente se come entre la una y las tres de la tarde.	☐	☐
2. Cuando comes con amigos lo normal es pagar por separado, es decir, cada uno paga lo que ha consumido.	☐	☐
3. En España se cocina mucho con mantequilla.	☐	☐
4. Cuando estás invitado a comer, llevas una botella de vino.	☐	☐
5. En España se dan los regalos de Navidad el día 6 de enero.	☐	☐
6. Los miembros de la familia se saludan normalmente dándose la mano o con un abrazo.	☐	☐
7. A una fiesta con amigos o familia se puede llegar quince minutos o incluso media hora más tarde de lo acordado.	☐	☐
8. Para brindar se dice normalmente: "¡Jesús!".	☐	☐

 B. Algunos extranjeros que han estado en España comentan estas cuestiones. Según ellos, ¿las afirmaciones son verdaderas o falsas?

43/50

C. ¿Cómo son estas cuestiones en tu país? ¿Puedes comentar cuatro hábitos sociales típicos de tu país?

1. En mi país normalmente se come...
2. Cuando comes con amigos lo normal es...
3. En mi país se cocina mucho...
4. Cuando estás invitado a comer...
5. En mi país se dan los regalos de Navidad...
6. Los miembros de la familia se saludan...
7. A una fiesta con amigos o familia...
8. Para brindar se dice...

🌐 MUNDO PLURILINGÜE

¿Cómo dirías en tu idioma las siguientes frases? ¿Usarías recursos equivalentes para expresar las mismas ideas?

En España se hablan cuatro lenguas: el castellano o español, el catalán, el gallego y el vasco.

La iglesia de Santa María del Mar en Barcelona fue construida entre 1329 y 1383.

Uno trabaja todo el día, llega a casa y se tiene que poner a hacer tareas domésticas.

Se necesita dependiente para fines de semana. Se prohíbe pegar carteles.

Esta familia es increíble: trabajas como un loco, ayudas a todo el mundo ¡y nadie te lo agradece!

Esta es una ciudad pequeña, pero se vive muy bien.

您好！

¡Hola!

مرحبا

Transcripciones

Soluciones

Glosario de términos gramaticales

NOMBRE EN ESPAÑOL	DEFINICIÓN	INGLÉS	ALEMÁN	FRANCÉS	ITALIANO	HOLANDÉS	OTRA LENGUA
ADJETIVO	Palabra que acompaña al sustantivo y aporta información sobre cualidades o sobre características de la cosa o persona nombrada. • *Un viaje **interminable**.* • *Tres **buenas** razones.*	adjective	Adjektiv	adjectif	aggettivo	bijvoeglijk naamwoord	
ADVERBIO	Palabra invariable que aporta información sobre un verbo, sobre un adjetivo o sobre otro adverbio. Puede ser información sobre el modo, el tiempo, el lugar, la cantidad, etc. • ***Últimamente** no tengo hambre.* • *Pepe está **muy** preocupado por mí.*	adverb	Adverb	adverbe	avverbio	bijwoord	
ARTÍCULO	Palabra que antecede al sustantivo e indica su género y número, y si este se introduce por primera vez en la comunicación (artículo de primera mención) o ya ha aparecido (artículo de segunda mención). • ***Los** vecinos de Maite son un encanto.* • *Marcos tiene **unas** plantas preciosas.*	article	Artikel	article	articolo	lidwoord	
CONECTOR	Palabra o grupo de palabras que se utiliza para unir dos partes de un texto. Puede expresar una relación de causa, de finalidad, etc. • *¿Eres de Alcorcón **o** de Móstoles?* • ***Después de** la siesta, trabajo un poco.*	linker	Bindewort	connecteur	connettore / nesso	signaal-woord	
CUANTIFICADOR	Elemento o palabra que aporta información acerca de la cantidad de la cosa a la que se refiere. • *¿Tienes **bastantes** hojas?* • *Vinieron **algunos** amigos a vernos.*	quantifier	Mengenang-abe	quantificativ	quantifica-tore	onbepaald	
DEMOSTRATIVO	Palabra que antecede a un sustantivo o lo remplaza, y con la que se hace referencia a ese sustantivo indicando su cercanía o su lejanía respecto a las personas que hablan (tanto en el espacio como en el tiempo). • ***Estas** flores no son de verdad, ¿no?*	demonstra-tive	Demons-trativpro-nomen, -begleite	démonstratif	dimostrativo	aanwijzend voornaam-woord	
GERUNDIO	*Forma no personal del verbo que expresa la acción en su desarrollo y, a menudo, también modo.* • *¿Estáis **hablando** de mí?* • *Ha aprendido español **viendo** la tele*	gerund	Gerundium	gérondif	gerundio	gerundium	
INFINITIVO	El Infinitivo es la forma básica del verbo. Expresa la acción en sí. Funciona también como sustantivo. • ***Comer** productos frescos es bueno para la salud.* • *Quiero **verte** pronto, ven a casa.*	infinitive	Infinitiv	infinitif	infinito	infinitief, hele werk-woord	
INTERROGATIVO	Pronombre o adjetivo que introduce una pregunta de respuesta abierta y que indica la información que se desea obtener. •*¿**Cómo** funciona esta máquina?* •*¿**Cuánto** hace que has llegado?*	interroga-tive pronoun	Interrogativ-pronomen / Fragewort	interrogatif	interroga-tivo	vraagwoord	

NOMBRE EN ESPAÑOL	DEFINICIÓN	INGLÉS	ALEMÁN	FRANCÉS	ITALIANO	HOLANDÉS	OTRA LENGUA
NUMERAL	Los numerales cardinales son palabras que expresan una cantidad determinada de cosas o personas. Los numerales ordinales indican el orden de algo en una serie. • *Hay **cinco** cines en la ciudad.* • *El **tercer** año de Medicina es muy difícil.*	numeral	Zahlwort	numéral	numerale	telwoord	
OBJETO DIRECTO	Parte de la frase que recibe directamente la acción del verbo. • *¿Ves **esa casa**? **La** ha comprado Paco.*	direct object	direktes Objekt	objet direct	complemento oggetto	lijdend voorwerp	
OBJETO INDIRECTO	Parte de la frase que recibe indirectamente la acción del verbo. • ***Les** llevo unos dulces **a tus padres**.* • ***Me** encanta el mar en invierno.*	indirect object	indirektes Objekt	objet indirect	complemento oggetto indiretto	meeverkend voorwerp	
PARTICIPIO	Forma no personal del verbo que se utiliza para formar tiempos verbales compuestos. A veces, puede actuar como adjetivo. En ese caso, recibe marcas de género y número. • *Nos hemos **sentado** en un banco del parque y hemos **charlado**.*	past participle	Partizip II / Partizip Perfekt	participe	participio	voltooid deelwoord	
POSESIVO	Palabra que identifica algo o a alguien refiriéndose a su poseedor. Esta relación puede ser de posesión, paren-tesco, pertenencia a un grupo, etc. • *¿Esta cazadora de cuero es **tuya**?* • ***Nuestra** empresa es líder de mercado.*	Possessive pronoun	Possessiv-pronomen, -begleiter	possessif	possessivo	bezittelijk voornaam-woord	
PREPOSICIÓN	Palabra que establece una relación entre dos elementos de la oración. • *Mañana salimos **hacia** Cali.* • *Los vasos son **de** cristal **de** Murano.*	preposition	Präposition	préposition	preposizione	voorzetsel	
PRONOMBRE PERSONAL	Palabra que se utiliza para referirse a las diferentes personas gramaticales. • ***Yo** tengo hambre, ¿y **vosotros**?* • ***Nos** han traído unas pastas de Cáceres.*	Personal pronoun	Personal-pronomen	pronom personnel	pronome personale	persoonlijk voornaam-woord	
SUJETO	Parte de la frase que concuerda obligatoriamente en persona y en número con el verbo. • ***Zoila** está en Toledo, ¿**tú** lo sabías?* • *Me encanta **el helado**.*	subject	Subjekt	sujet	soggetto	onderwerp	
SUSTANTIVO o NOMBRE	Palabra con la que se nombra a una persona, a un animal, un objeto, un concepto o una entidad. Existen dos clases fundamentales: los nombres propios (entidades únicas) y los nombres comunes (objetos y conceptos). • *El **perro** está en la **casa** de **Marcos**.* • *¿Tenemos las **llaves** del **coche**?*	noun	Substantiv / Nomen	nom	sostantivo / nome	zelfstandig naamwoord	
VERBO	Palabra que se emplea para hablar de procesos, acciones o estados. • *Estas niñas **bailan** muy bien.* • *Últimamente **hemos ido** bastante al teatro.*	verb	Verb	verbe	verbo	werkwoord	

Índice de pistas del CD

UNIDAD 1

ejercicio 2. A   pistas 1-4

UNIDAD 3

ejercicio 5. A   pista 5

UNIDAD 4

ejercicio 3   pista 6

UNIDAD 5

ejercicio 7   pistas 7-12

UNIDAD 7

ejercicio 1   pista 13

UNIDAD 8

ejercicio 6. B   pista 14

UNIDAD 9

ejercicio 5. C   pista 15

UNIDAD 10

ejercicio 4. B   pista 16

UNIDAD 11

ejercicio 5   pista 17

UNIDAD 12

ejercicio 4. A   pista 18

ejercicio 4. B   pista 19

UNIDAD 13

ejercicio 2. B   pista 20

UNIDAD 14

ejercicio 5. A   pista 21

UNIDAD 15

ejercicio 1. B   pistas 22-25

ejercicio 6. B   pista 26

ejercicio 8. B   pista 27

UNIDAD 16

ejercicio 2   pista 28

ejercicio 4. A   pista 29

UNIDAD 17

ejercicio 5. B   pistas 30-35

UNIDAD 18

ejercicio 4.B   pista 36

UNIDAD 19

ejercicio 2. B   pista 37

ejercicio 5   pista 38-42

UNIDAD 20

ejercicio 5. B   pistas 43-50

UNIDAD 1

2 COMAS IMPORTANTES

1. Alberto, come más,
2. Alberto come más...
3. La única novela de Matamala publicada en formato electrónico es buenísima.
4. La única novela de Matamala, publicada en formato electrónico, es buenísima.
5. ¿Dónde estuvo ayer Felisa?
6. ¿Dónde estuvo ayer, Felisa?
7. No, vendrá hoy.
8. No vendrá hoy.

UNIDAD 3

5 EL / LO / LA

1. ¿Lo mejor de mi clase?
2. La que nos preocupa es...
3. El que tiene más años aquí es...
4. Para mí, lo más difícil es...
5. ¿Y la de la izquierda?
6. ¿Sabes lo de Pedro?
7. La que debe mejorar es...

UNIDAD 4

3 ¡MÍA!

1. Mi hija está entusiasmada con el viaje. No habla de otra cosa.
2. ¿Estos discos son de Teresa?
3. ¿De quién son estas maletas?
4. ¿Van a venir tus hermanas a la fiesta?
5. ¿De qué amiga están hablando?
6. ¿Sabes dónde están mis llaves?

UNIDAD 5

7 UN MONTÓN DE EXPRESIONES

1.
● Enrique, ¿te gusta el gazpacho que he preparado para cenar?
○ ¡Mmmh...! ¡Sí! ¡Está rebueno! Tiene un punto dulce, está riquísimo.
● Lleva un pelín de melón. Es un truco que aprendí hace tiempo.

2.
● Pues no veas el lío que hay en mi empresa... Resulta que tenemos que decidir cuándo tomarnos las vacaciones y la mayoría quiere irse en agosto... y nadie quiere ceder.
○ Bueno, pero cada uno tendrá sus motivos, como hijos en edad escolar, por ejemplo. ¿No?

● Algunos sí, pero el resto no. Son supercaprichosos.
○ Hombre, pues sí. Así como lo cuentas, me parecen un tanto egoístas.
● ¿Solo un tanto? ¡Son la mar de egoístas!

3.
● Estás libre mañana por la noche?
○ ¡Ni me hables! El profesor de estadística nos ha puesto un montón de ejercicios. Creo que voy a tener que trabajar hasta la madrugada... ¡son redifíciles!
● Bueno, paciencia... otra vez será...

4.
● El jueves conocí a tu primo Ernesto.
○ ¿Y qué te pareció?
● ¡Genial! Tenías razón, es la mar de simpático.

5.
● ¡Uf! Resolver este ejercicio me está costando una barbaridad...
○ ¿Necesitas ayuda?
● Quizá sí... es realmente difícil.

6.
● Las botas que me he comprado son supercómodas... ¡he andado un montón y ni lo he notado!

UNIDAD 7

1 PUNTUAR

1. María ha estado en los Alpes.
2. ¡Marcial ha dejado los estudios!
3. ¡Macarena tiene más de 40 años!
4. Manuel quiere irse a vivir a Sudáfrica.
5. ¡Melania vuelve a vivir con su madre!
6. ¡Quieren llevar a Marcos a un colegio privado!
7. Mis hermanos no saben quién es Mónica.
8. Tienes aquí el regalo de Miguel, María.
9. Nuestras madres están preocupadas por Minerva.
10. ¡Mi prima Marta tiene mis raquetas de tenis!

UNIDAD 8

6 ¿QUÉ HAY QUE HACER?

1. Si quieres tener unos dientes blancos debes evitar el café y el tabaco y lavártelos tres veces al día.
2. Para tener un cabello sano y fuerte es buena idea peinárselo cada día.
3. Es muy importante dormir nueve horas al día para tener una piel sana.
4. Si quieres quitar un chicle pegado en la ropa, tienes que aplicar hielo sobre la zona afectada.
5. Para llegar a los 100 años hay que hacer ejercicio físico, comer moderadamente ¡y tener mucha suerte!
6. Digan lo que digan, el mejor consejo para llegar a los 50 años de casados es tener muchísima paciencia.

7. Para tener plantas siempre verdes y exuberantes, yo creo que lo que hay que hacer es regarlas y darles luz... ¡pero sin pasarse!

8. Si no quieres tener acidez de estómago, tienes que cuidar tu alimentación.

UNIDAD 9

5 ¿ERES UN BUEN COMPAÑERO DE TRABAJO?

Mayoría de respuestas A: Sabes ser diplomático y tolerante en el trabajo. Eso te hace ganarte la confianza de colegas y jefes, pero a veces debes aprender a ser más asertivo y no resignarte a aceptar situaciones de las que podrías salir perjudicado.

Mayoría de respuestas B: Eres el colega perfecto: siempre dispuesto a buscar soluciones para las situaciones conflictivas. Eres capaz de hacer críticas constructivas, sin resultar prepotente o agresivo.

Mayoría de respuestas C: Debes controlar tu impulsividad. Si intentas tratar a los compañeros con amabilidad, contribuirás a un ambiente laboral más agradable y menos competitivo. Tu agresividad puede volverse contra ti.

Mayoría de respuestas D: Si el puesto de trabajo es importante para ti, sería mejor que empezases a asumir tus responsabilidades.

UNIDAD 10

4 HE ANDADO MUCHOS CAMINOS

● ENTREVISTADOR: Siguiendo con nuestra serie sobre las letras hispanas, hoy tenemos en nuestros estudios a la doctora Rivas, especialista en la Generación del 98. Buenas noches, profesora.

○ PROFESORA: Buenas noches. ¿Qué tal? Es un placer estar aquí esta noche con ustedes.

● E: Bueno... Quería que nos contara algo más sobre la vida de Antonio Machado. Todos conocen sus obras... y se sabe que fue profesor de francés, y que murió en el exilio, pero hay mucho más...

○ P: Sí, e incluso sobre su obra... ¿Quién no ha leído en el colegio *Soledades* y *Campos de Castilla*? Pero no se conoce tanto su obra como autor de teatro.

● E: ¿Como autor de teatro? Cuéntenos.

○ P: Bueno, actuó en la compañía de María Guerrero en Madrid cuando volvió de París, antes de trabajar como profesor de francés. Y entre 1926 y 1932 escribió obras de teatro junto a su hermano Manuel.

● E: Él estudió Filosofía en París, ¿no?

○ P: En su segundo viaje. En el primer viaje trabajó en una editorial. Durante ese viaje conoció a Rubén Darío, que influyó mucho en su obra. Volvió para estudiar Filosofía con Bergson ya casado, en 1910, con una beca.

● E: Y entonces obtuvo su título en Filosofía y Letras.

○ P: No, no, los estudios los acabó en Madrid años más tarde, en 1918.

● E: ¿Tan tarde?

○ P: Sí, con más de cuarenta años. Trabajó siempre como profesor de francés.

● E: Y en la Guerra Civil combatió del lado republicano...

○ P: Fue republicano, por eso tuvo que exiliarse, pero no combatió en el frente. Hizo lo que podríamos llamar "campaña literaria". Escribió una serie de textos en poesía y prosa sobre la guerra y....

UNIDAD 11

5 ¿QUIÉN NO HABÍA LLEGADO?

1. Iba a proponerle a Carla ir a cenar fuera, pero vi que ya había comprado la cena.
2. Me encontré con Álex el otro día y me preguntó si había roto con Marta. ¡Hace tres meses que estoy solo y no lo sabía!
3. El otro día vino Claudia a mi casa porque había perdido el tren y no tenía donde quedarse.
4. Pensaba que Luis no conocía Sevilla, pero resulta que había ido muchas veces por trabajo.
5. Cuando empezamos a trabajar en la empresa, Juan ya había acabado la carrera, pero yo no.
6. Ayer fue mi cumpleaños y, como sorpresa, Laura había reunido a varios amigos en mi casa.
7. Le dije a Sandra que había escrito una novela, y que me la publicaron hace un par de años.
8. Cuando vino a mi casa, Antonio me dijo que había aparcado mal el coche y que no quería que lo multaran. Por eso se fue pronto.

UNIDAD 12

4 CUANDO ERA NIÑO...

A.
1. Hubo muchas fiestas en mi pueblo.
2. Llovía muchísimo para esta época. ¡Es increíble cómo ha cambiado el clima!
3. Hablaban por teléfono todas las noches.
4. He bebido demasiado café... no tengo nada de sueño.
5. Me encantaban las murgas y las comparsas de carnaval.

B.
1. El verano pasado hubo muchas fiestas en mi pueblo. Es que celebramos los 600 años de su fundación, y claro...
2. No se puede creer la sequía que ha habido en la región estos últimos años... ¡Y pensar que años atrás llovía muchísimo para esta época! ¡Es increíble cómo ha cambiado el clima!
3. Mi hijo y mi nuera, cuando eran novios, hablaban por teléfono todas las noches... era insoportable, tuvimos que pedir una segunda línea porque nadie más podía comunicarse con nosotros.

4. Sí, ya sé que es tarde, pero es que esta tarde en el trabajo he bebido demasiado café... no tengo nada de sueño. Acuéstate tú, que yo voy luego.

5. Cuando vivía en Montevideo me encantaban las murgas y las comparsas de carnaval, realmente lo echo de menos. A ver si en febrero puedo viajar.

UNIDAD 13

2 LOS ARIES PASARÁN POR UN BUEN MOMENTO

Y ahora, vamos a ver las predicciones de los astros para el año que se inicia. Vamos a empezar por el primer signo del zodíaco: Aries.

Para los aries, el próximo año será una época de cooperación y colaboración. Atención: deberás tener más paciencia con tu pareja y con tus amigos.

En general, este será un año de estabilidad y felicidad, pero posiblemente en julio sufrirás una desilusión amorosa. Los aries que no tienen pareja verán como una simple amistad se convierte en una historia de amor. Tu vida familiar, en cambio, será muy estable.

Los amigos serán importantes este año, consolidarás muchas amistades verdaderas y harás muchas actividades junto a ellos. Empezarás a ser más sincero contigo mismo y con los demás, por eso, te sentirás mejor.

En cuestiones de salud, el año que comienza será, en general, un buen año para los aries. Los meses en los que podrás tener problemas de salud serán junio, julio y noviembre.

Los aries viajarán bastante durante este año, pero serán desplazamientos en su mayoría cortos, tanto en distancia como en duración. Diciembre será el mejor mes para realizar un viaje más largo.

Obtendrás un ascenso en tu trabajo y la presencia de Júpiter y Saturno te ayudará a mejorar tus finanzas. Será, así pues, un año de progresos en el ámbito profesional.

UNIDAD 14

5 ¿QUIÉN NECESITARÍA UNAS VACACIONES?

1. Debería descansar más, señor Gutiérrez, lleva un ritmo de vida demasiado acelerado.

2. Este niño estaría mucho mejor en una guardería, tiene que relacionarse con otros niños.

3. Podría dejar de trabajar durante un tiempo. Así podría dedicarme a escribir.

4. Tendría que ser menos exigente con ella misma, siempre quiere ser la mejor.

5. No debería comerme esto, lo sé, pero no lo puedo remediar: me encanta la mantequilla.

6. Podría abrir una tienda de ropa o algo así, usted siempre ha tenido un gusto excelente.

7. Haría cualquier cosa por su hijo. Nunca he conocido a un padre tan dedicado.

UNIDAD 15

1 APRENDE LA MÚSICA

1. Hablar: hable, hables, hable, hablemos, habléis, hablen. Conjuga el verbo **bailar**.

2. Cerrar: cierre, cierres, cierre, cerremos, cerréis, cierren. Conjuga el verbo **regar**.

3. Moler: muela, muelas, muela, molamos, moláis, muelan. Conjuga el verbo **oler**.

4. Inducir: induzca, induzcas, induzca, induzcamos, induzcáis, induzcan. Conjuga el verbo **reducir**.

6 A FAVOR Y EN CONTRA

1. Me parece un ataque a la cultura que se prohíban las corridas de toros. Tenemos que saber que, sin las corridas de toros, estos animales ya no existirían hoy en día.

2. Actualmente podemos utilizar energías renovables que no contaminan y son igual de eficientes que la energía nuclear. Usar la energía nuclear se explica solo por el interés económico de algunas personas.

3. El dinero público tiene que ser para la sanidad o la educación. Yo no creo que sea importante para la sociedad que un país tenga mucho armamento. ¿Para qué nos sirve eso, en realidad?

4. La experimentación con animales es el precio a pagar para que la ciencia evolucione. Sin ello, ahora no tendríamos la cura a muchas enfermedades.

5. El uniforme en clase hace que se eliminen las diferencias entre los estudiantes. Es una solución justa, no algo contra la libertad de expresión.

8 ¿QUÉ DICE?

1. Pedro me dice que tengo mucha paciencia al aguantar todo el día de excursión con sus padres.

2. Claudia me ha pedido que venga cada día a verla al hospital.

3. Pedro está a dieta y me ha pedido que compre menos pan.

4. Mi mujer me ha dicho que ahora soy más transigente con mis hijos.

5. Como nos vamos de viaje a primera hora de la mañana, mi marido me ha dicho que llegue muy temprano.

6. El otro día mi profesor me dijo que presto mucha atención en clase.

7. José me ha recomendado que ande con la espalda muy recta para evitar dolores.

UNIDAD 16

2 VEN, VENGA, VENID, VENGAN

1. Mire, rellene el formulario y entréguelo en el departamento de altas, en la segunda planta.

2. No se olvide su libro, lo tiene sobre esta mesa.

3. García, reserva un restaurante para la cena de empresa de mañana.

4. ¡Venid a ver esto! ¡Sale nuestro profesor en la tele!

5. Después de cortar el pescado, metedlo en el horno durante 20 minutos.

6. Ven a cenar a casa esta noche, he comprado una carne buenísima.

7. Señoras y señores, ¡bienvenidos a nuestro circo, prepárense para una noche inolvidable!

8. Tómese estas pastillas dos veces al día y vuelva la semana que viene para otra revisión.

9. Friega los platos rápido, que tenemos que irnos ya.

10. Completad el ejercicio y luego comparadlo con un compañero.

4 SIÉNTESE

1. Pórtate bien y te lo compro.

2. Déjame un bolígrafo un segundo.

3. Siéntese, por favor.

4. Muestren su pasaporte o documento de identidad en la puerta de embarque.

5. ¡Baja el volumen!

UNIDAD 17

5 PERO O SINO

1.
● ¿Te has enterado de que Javi se ha casado con una chica de Buenos Aires?
○ ¿Y se han casado allí?
● Se han casado en Argentina, pero no en Buenos Aires. Se han casado en Bariloche, la ciudad de los padres de ella.

2.
● Ana, he comprado merluza para hoy.
○ Pero si te dije que tenía pensado preparar unas pizzas.
● Es verdad. Bueno, pues congelamos la merluza y la cenamos mañana ¿sí?

3.
● Oye, Marta, ¿te puedo dejar un currículum para que lo dejes en tu empresa?
○ Ya no trabajo allí. Hace tres meses que estoy en el paro.

4.
● Ayer vi por la calle a Esther, la novia de Lolo. Está guapísima.
○ La novia de Lolo se llama Sandra.
● ¿La rubia? ¿La que tiene los ojos azules y es tan alta?
○ Sí, esa misma.

5.
● Oscar, tú estudias alemán, ¿no?
○ No, no... estudio italiano.

6.
● ¿Cuánto cuesta esta camiseta?
○ 40 euros.
● ¿Pero no está rebajada?
○ ¿Esa? ¡Ah, sí, sí! Cuesta 30 euros, perdona.

UNIDAD 18

4 ÉRAMOS COMPAÑEROS DE FACULTAD

Analía y yo nos conocimos hace diez años. Era septiembre. Yo había estado un semestre en Italia con una beca y cuando volví puse un anuncio en el tablón de la biblioteca buscando una persona con la que conversar en italiano. Entonces ella me llamó. Su padre era de Génova pero, increíblemente, ella nunca había estado en Italia y, aunque hablaba italiano, tampoco tenía con quién practicar. Total, que quedamos en la cafetería de la facultad esa misma tarde. Cuando llegó, no me lo podía creer: era guapísima. Comenzamos a hablar sobre mil cosas; yo estaba fascinado: además de guapa, era muy culta y estaba interesada en muchos temas diferentes.

Decidimos reunirnos una vez por semana para conversar y, a las pocas semanas, yo ya estaba totalmente enamorado, aunque ella no parecía darse cuenta. Finalmente le confesé lo que sentía y ella me dijo que yo también le gustaba. Estuvimos saliendo unos meses hasta que un día me llamó y me dijo que estaba saliendo con otro chico. Estuve deprimido un tiempo, pero bueno... Ahora estoy muy contento con Lidia, mi pareja actual. Ella es muy especial, es una gran compañera y está siempre a mi lado. Estamos muy bien juntos.

UNIDAD 19

2 ESPIONAJE

➤ A las 10.03 habló con un tal Gerardo y le preguntó si había conseguido encontrar sus notas.

➤ A las 10.13 le preguntó a un tal Martínez cuándo le iba a traer el prototipo.

➤ A las 10.25 le preguntó a una tal Lourdes si podría venir esa tarde.

➤ A las 10.35 habló con una señora Puig y le preguntó cuándo pensaba volver a visitarles.

➤ A las 10.55 habló con un tal Paco y le preguntó si sus hijos iban a ir al campamento de verano del ayuntamiento.

➤ A las 11.05 habló con Flora y le confirmó que sí, que esa tarde tendrían los resultados del test y que decidirían si continuaban con el proyecto o no.

➤ A las 11.23 le dijo a un tal Antonio que el día anterior había estado con sus abogados y le habían contado que el tal Antonio había ganado el juicio.

5 DEJE SU MENSAJE DESPUÉS DE LA SEÑAL

1. Hola, Nico… no sé si todavía estarás en la ciudad, son las ocho del lunes. Soy Ángel, mira, te llamaba porque tengo un problemita con mi ordenador… bueno, ehm… en realidad es un problemón… está como muerto, no sé qué le pasa. ¿Podrías ayudarme a repararlo?

2. Oye, Nico… soy Felipe. Mira… eeeeh… siento mucho lo del otro día… de veras, no quería molestarte… Ya sabes cómo soy, que enseguida se me sube la sangre a la cabeza… pero, bueno… no, no quería decir lo que dije. Discúlpame, te vuelvo a llamar luego.

3. ¿Nico? ¿Estás por ahí? Uf, bueno, parece que no… mira, te llamaba porque mañana tengo una cena de trabajo y no tengo nada formal que ponerme. He pensado que quizás podrías prestarme tu chaqueta gris y la corbata verde… ¿puede ser? Llámame, por favor, estaré en casa toda la noche.

4. Nico, soy mamá… Mira, pasado mañana tengo que ir a la ciudad a hacer unos trámites y he pensado que podía quedarme en tu casa y volverme al pueblo el sábado, ¿qué te parece? Avísame, ¿vale?

5. ¡Sorpresa! ¡Soy Cristina! ¿Qué tal? Tengo que ir a Oviedo por asuntos de trabajo y se me ocurrió que podíamos aprovechar para vernos. Llegaré el miércoles por la mañana y me voy el jueves por la tarde. ¿Cenamos juntos el miércoles? Estoy en el hotel Asturias Palace, llámame después de las siete, ¿vale? ¡Chao, un besote!

UNIDAD 20

5 SE COME DE UNA A TRES

1.
● Después de dos meses aquí no me acostumbro a los horarios de la comida española. ¡Puedes ver a personas comiendo en los restaurantes a las cuatro de la tarde!
○ Sí, y en mi oficina me miran como a un bicho raro porque salgo a comer a la una del mediodía. Ellos antes de las dos no comen.
● ¡Para entonces yo ya me habría muerto de hambre!

2.
● Veronika! ¿Qué tal te fue la cena con tus nuevos compañeros de trabajo?
○ Fue bien, pero cuando pagamos me llevé una sorpresa. Yo no tenía mucha hambre y había pedido solo una ensalada, y algunos compañeros habían cenado las carnes más caras de la carta…
● Ya sé lo que me vas a decir: cuando tocó pagar dijeron que pagabais a medias, ¿verdad?

○ ¡Sí! ¡Y yo tuve que pagar mucho más de lo que costaba mi ensalada!
● Ya…

3.
● Mis compañeros de piso me dicen que estoy loca porque cocino con mantequilla.
○ ¿Por qué? A mí me encanta el sabor de la mantequilla.
● Y a mí, pero ellos cocinan siempre con aceite de oliva. No está mal, pero la verdad es que a mí no me gusta tanto.

4.
● Ayer fui a comer a casa de unos amigos que hice aquí. Era la primera vez que unos españoles me invitaban a comer.
○ ¿Y qué tal fue?
● Bien, bien. Llevé una botella de vino, para agradecerles la invitación. Parece que aquí es lo típico.
○ Sí, bien hecho.

5.
● Tengo que comprar los regalos de Navidad para mis sobrinos. He estado haciendo cálculos y voy a gastarme muchísimo dinero…
○ Sí, la Navidad es una época con muchos gastos.
● Lo que me llama la atención de acá es que los regalos de Navidad se hacen el día 6 de enero. En Francia abrimos los regalos el 25 de diciembre por la mañana.
○ ¡Qué curioso! En Alemania los abrimos el 24 por la noche.

6.
● Che, Luis. ¿Es normal que en España los familiares se den dos besos para saludarse?
○ Claro. ¿Por qué?
● Porque allá en Argentina siempre saludaba con un beso, y esta mañana he conocido a una tía mía española y cuando me dio dos besos me ha parecido un poco extraño.
○ Jejejeje, acá en España te van a pasar más cosas como esa, ya vas a ver.

7.
● ¡No te vas a creer el mal momento que pasé!
○ ¿Qué te pasó?
● Me invitaron a una fiesta que organizaba un primo de mi novio. La invitación era a las 9 de la noche en su casa, y yo me presenté a esta hora allí. Pues bien, ¡resulta que no había nadie! De hecho, aún no estaba el primo de mi novio, estaba su compañera de piso, que ni si quiera conocía a mi novio. Así que estuve yo sola durante casi una hora con ella. No teníamos nada de qué hablar, ni nada que decirnos. Fue todo muy tenso.

8.
● Oye, Ramón, ¿en España qué se dice para brindar?
○ Se dice "salud" y se tiene que mirar a los ojos de las otras personas.
● Y después de brindar, ¿hay que beber?
○ Sí, si brindas y no bebes quedas un poco mal.

1. Ortografía y puntuación

1 UN ERROR MAYÚSCULO

1. El próximo jueves es Navidad y, además, es el cumpleaños de mi tío Ramón.
2. El 3 de febrero se publicará la primera novela de Juan Antonio Pérez Sánchez: La vida secreta de Caroline en Barcelona. Trata de una estadounidense que da clases de inglés en Barcelona.
3. Este martes la Asociación Española de Psiquiatría ha visitado la sede de la UE en Bruselas, Bélgica.
4. Mi hermana Arantxa me dijo ayer: "Tienes que ir a Chile, Santiago es una ciudad fantástica y Valparaíso, también. Además, los chilenos son muy simpáticos."
5. ¿Sabe Ud. dónde para el autobús para Sevilla? Creo que es de la compañía Hispalense SA.
6. Este jueves hablé con D. Javier y me dijo: "¿Por qué no te apuntas a la Federación Madrileña de Alpinismo? Organizan salidas todos los fines de semana y campamentos en julio y agosto."
7. En Semana Santa vamos a ir a Bilbao, queremos visitar a mis primos Begoña y Aitor y aprovechar para ir al Guggenheim.
8. Compré estas gafas en una óptica que se llama Opticentro, en Málaga.
9. Fabián ha viajado por toda América del Sur: Chile, Venezuela, Argentina, Brasil... ¿Tú sabías que era tan viajero?
10. Parece que Marcos se ha dejado el DNI en casa y no ha podido hacer el examen. ¡Qué desastre!

2 COMAS IMPORTANTES

A

1. Alberto, come más...
2. Alberto come más...
3. La única novela de Matamala publicada en formato electrónico es buenísima.
4. La única novela de Matamala, publicada en formato electrónico, es buenísima.
5. ¿Dónde estuvo ayer Felisa?
6. ¿Dónde estuvo ayer, Felisa?
7. No, vendrá hoy
8. No vendrá hoy

B
1,b; 2,a; 3,c; 4,d; 5,f; 6,e; 7,g; 8,h.

3 HOLA, PEDRO

1. Para conservar bien esta camisa, hay algo que no debes hacer: lavarla en agua caliente.
2. Hola, Pedro:
3. Gracias por el regalo. Me ha gustado mucho...
4. Pasamos un estupendo día de playa: tomamos el sol, nos bañamos y comimos una paella deliciosa en un restaurante.
5. Mi abuelo siempre decía: "Vísteme despacio que tengo prisa".

6. Los ingredientes son los siguientes: 1/2 calabaza, 5 zanahorias, crema de leche, y sal.
7. Me encantan los detalles románticos: un ramo de flores, una cena con velas o un pequeño regalo inesperado.

4 PUNTOS DE VISTA

A

1. Tenía una casa preciosa en la Costa Brava; sin embargo no iba casi nunca.
2. Las casa de la derecha son del siglo XX; las de la izquierda, del XIX.
3. Hemos hecho el trabajo cuidadosamente y siguiendo las instrucciones; no obstante, no lo han aceptado.
4. En la fábrica, las mujeres limpiaban el pescado y lo cortaban; los hombres eran los encargados de transportar las conservas y conducir los camiones.
5. Las ciudades del interior de la región son más antiguas y señoriales; las de la costa, más modernas y abiertas.
6. Tendremos una semana de descanso; por tanto, podremos pintar la casa nosotros mismos.

B

1. Está mañana Petra ha dicho: "Eso son margaritas para los cerdos". ¿Qué quería decir?
2. Se ha confundido y en vez de decir "fragante" ha dicho "flagrante".
3. ¿Qué quiere decir "zarrapastroso"?
4. En el contexto en que lo ha dicho, "fantasma" significa 'fanfarrón'.
5. ¿Quién dijo "Carthago delenda est"?
6. Este fin de semana quieren hacer "rafting", pero a mí me apetece más hacer "canyoning", es decir, 'barranquismo'.

C

1. Esa faja (llamada "gerriko") es típica de varios trajes vascos.
2. El real (la moneda de Brasil) goza de muy buena salud en este momento.
3. Las pochas (alubias frescas) son típicas de Navarra y otros lugares.
4. Su jefe (que es cuñado del director general) no es muy capaz.
5. La mesa del despacho (heredada se su abuelo) era feísima.
6. Su perro de raza (un podenco ibicenco) es precioso y muy cariñoso.

5 OFERTA DE TRABAJO

A

1. Un anuncio de empleo publicado en un periódico.
2. Señala problemas y propone soluciones.
3. Más de cinco párrafos.

B

Estimados señores:
Les escribo para responder a su anuncio publicado en el diario El Globo (núm. ref. 257003), para exponerles mis

observaciones sobre su web Ventaonline y ofrecerles mis servicios para mejorarla.

En primer lugar, me gustaría decir que los productos que ofrecen son de gran calidad y tienen un gran potencial en nuestro país; sin embargo estoy de acuerdo con ustedes en que es necesario que mejoren el diseño de su web para aumentar sus ventas.

En segundo lugar, deseo llamar su atención sobre los siguientes problemas que he detectado: la distribución de la información es confusa, la sección para realizar compras es difícil de encontrar y los datos de tarjeta de crédito de los compradores no se manejan de manera suficientemente segura.

Por todo lo anterior estaría encantado de presentarles mi propuesta para modificar su web. Creo que puedo mejorar su imagen, su estructura, su facilidad de uso, la seguridad general de los datos de los usuarios, introducir varias "keywords" para facilitar la búsqueda en internet...

Para finalizar, solo decirles que estaré encantado de colaborar con ustedes en el caso de que deseen considerar mi propuesta.

A la espera de sus noticias, reciban un cordial saludo.
Esteban Vico Suárez
av. América, 1275
20039 Madrid
tel. 9184268823
evicosuarez@correitos.dif0

2. Los adjetivos

1 PARES DE ADJETIVOS

1. impar
2. rubio
3. minúsculas
4. morenos
5. entera
6. larga
7. cristalina
8. maduras
9. simple
10. famosa
11. salvos
12. negras
13. fuerte
14. flacas
15. usados
16. blancas

2 SÍ, PERO

A

1. públicas
2. abiertas
3. fijo
4. solteros
5. español
6. armada
7. azul
8. oriental
9. solar; eléctrica
10. rotos
11. olímpica
12. familiares
13. agrícola
14. fritas

B

1. escuela... pública, privada, primaria, secundaria, infantil...
2. teléfono... personal, de trabajo, público, viejo, nuevo...
3. cielo... gris, cubierto, nublado, bonito, feo, espectacular...
4. luz... natural, artificial, fuerte, tenue...
5. erergía... eólica, hidráulica, térmica, nuclear, limpia, renovable...

6. campeón... mundial, europeo, absoluto, de campeones...
7. reunión... anual, mensual, semanal, de vecinos, de trabajo, de negocios...
8. patata... asada, hervida, al vapor, frita, brava...

3 CLASES Y GÉNEROS

escrita; rosa; económica; diaria; gratuita
rosa; autobiográfica; satírica; negra; histórica

4 LECTORES EXIGENTES Y EXIGENTES LECTORES

1,b; 2,a; 3,c; 4,d; 5,f; 6,e; 7,h; 8,g.

5 RUMORES, RUMORES

A

1. Ciertos rumores
2. Un libro grande
3. Un buen profesor
4. Precio medio

6 EN EL CENTRO COMERCIAL

A. No me gustan las películas **románticas**, me aburren. Pues a mí tampoco me gusta el cine **bélico**, pero vi contigo *Salvad al soldado Ryan*.

B. Tenemos muchos tipos de máquinas **fotográficas**; tenemos cám aras **compactas**, reflex, profesionales...

C. Tienes que leer esta novela de Pamuk, el escritor **turco**, es buenísima.

D. Los vendedores que llevan el uniforme **azul** son los de la sección de informática.

E. ATENCIÓN SEÑORES CLIENTES: Hoy es el **único** día para efectuar la reserva del iPep.

F. ¿Para un niño de 8 años? Le puedo recomendar este **precioso** libro/libro **precioso**. Seguro que le encanta.

G. Tenemos clientes de todas las edades, pero la edad **media** es de 33 años.

H. Le recomiendo este ordenador portátil: potente, ligero (pesa menos de 1 kilo) y muy rápido: una **gran** máquina.

I. ATRAPADOS EN EL MUSEO: una **nueva** aventura del inspector Zorraquino, un **viejo** conocido de los lectores españoles.

3. Los artículos

1 IR AL CINE A VER UNA PELÍCULA INGLESA

el/la/los/las

ir **al** cine; ir **al** teatro; ir **al** bar; ir **al** fútbol; leer **el** periódico; ir a **la** montaña; ver **la** tele; oir **la** radio; jugar a **las** cartas; lavar **la** ropa; planchar **la** ropa; jugar **al** ajedrez; jugar a **los** bolos.

un/una/unos/unas

ver **una** película; ver **una** obra de teatro; tomar **un** café; ir a **un** partido; leer **un** artículo; hacer **una** excursión; ver **un** programa; oír **un** programa; jugar **una** partida de cartas; lavar **una** camisa; planchar **unos** pantalones; fregar **una** taza; regar **una** planta; plantar **un** árbol; dar **un** paseo con el perro; tener **un** hijo.

2 TENGO QUE CONTARTE UN SECRETO

1. una, el; un.
2. la; un; la; la.
3. un; un.
4. un; el.
5. el; del; un;la.
6. Los; al.
7. el; una.
8. el; las; El.
9. los; unos.
10. la; un

3 PASTELES

1. unos
2. los/unos
3. ø ; una.
4. la
5. el/un; una; los.
6. el; un.
7. Los
8. Ø / los / unos; ø / una.
9. Ø
10. el
11. la
12. la/una

4 ¿ME DEJAS EL ROJO?

1. La carpeta que trajiste es demasiado grande. ¿No había una ~~carpeta~~ más pequeña?
2. ¡Cuidado! ¡La silla de la derecha está medio rota! Siéntate mejor en la ~~silla~~ negra, la ~~silla~~ de plástico.
3. El jersey que llevas es muy ligero para este frío... Ponte mejor **uno** ~~jersey~~ más grueso.
4. ¿Cuál de estos bolsos es el tuyo? ¿El ~~bolso~~ negro o el ~~bolso~~ verde pequeño?
5. Los vasos de cristal son peligrosos para los niños: a ellos dales unos ~~vasos~~ de plástico.
6. ¿Trajiste las revistas?
   Sí, he traído unas ~~revistas~~ de arquitectura y una ~~revista~~ de música...
7. Otra vez olvidé el paraguas en la oficina y tuve que comprarme **uno** ~~paraguas~~ por ahí...
8. ¿Cuál es la casa de Silvia? ¿La ~~casa~~ que tiene jardín o la ~~casa~~ blanca que está enfrente?

5 EL/LO/LA

A.
1. Lo
2. La
3. El
4. lo
5. la
6. lo
7. La

B.
1. El ambiente.
2. Sara.
3. Arturo.
4. El segundo ejercicio.
5. Es mi cuñada.

6. Sí, me lo han contado hoy.
7. Lucía, se esfuerza poco.

4. Los posesivos

1 ¿SU NOMBRE, POR FAVOR?

Imagen 1:, diálogo B; imagen 2, diálogo D; imagen 3, diálogo C; imagen 4, diálogo A.

1. su; su; mi; su; sus; su.
2. mi; tu; Mi; mis; mis.
3. su; sus;su;su.
4. nuestra; nuestra; nuestro; sus.

2 LLEVANDO LA CONTRARIA

1. mía
2. suyo
3. Suyos
4. Mías
5. Mía
6. tuyo
7. vuestras

3 ¡MÍA!

1. Mi hija está entusiasmada con el viaje. No habla de otra cosa.; a
2. ¿Estos discos son de Teresa?; b
3. ¿De quién son estas maletas?; b
4. ¿Van a venir tus hermanas a la fiesta?; a
5. ¿De qué amiga están hablando?; c
6. ¿Sabes dónde están mis llaves?; c

5. Los cuantificadores

1 MUCHOS MUCHACHOS

1. muchos
2. mucho
3. muchas
4. todas
5. Toda
6. algunos
7. bastantes
8. bastante
9. demasiado
10. demasiado
11. poca; mucho
12. mucha; poco
13. todas
14. toda
15. demasiado; demasiado; toda

2 MUCHA GENTE, PERO NO DEMASIADA

1,b; 2,a; 3,c; 4,d; 5,f; 6,e; 7,g; 8,h; 9,i; 10,j; 11,k; 12,l; 13, m; 14,n.

3 ¿TODO O TODOS?

1,b; 2,a; 3,d; 4,c; 5,f; 6,e; 7,g; 8,h.

4 NO, NADA

1. Nadie quiere trabajar en esta casa, ¡aquí **no** puedes pedir ayuda a nadie!
2. **No** quiero casarme con nadie, estoy muy bien soltero.
3. **No** le he dicho a nadie tu secreto, puedes estar tranquilo.
4. Nada me gusta más que pasar un día de playa con mis hijos.
5. **No** hay nada para cenar, tenemos que ir a cenar fuera.
6. Ningún amigo mío te cae bien, eres muy intolerante.
7. **No** te llevas bien con ningún amigo mío, eres terrible.
8. Nunca me he sentido mejor, soy feliz.
9. Soy feliz, **no** me he sentido mejor nunca.
10. Nada consigue ponerla nerviosa, tiene unos nervios de acero.

5 ALGO ES ALGO

1. a,2; b,1
2. c,3; d,4
3. e,5; f,6
4. g,9; h,7; i,8
5. j,10; k,11

6 SIEMPRE NEGATIVO

1. mucha; demasiada
2. un poco de; poco
3. muy; demasiado
4. poca; bastante
5. un poco; muy; poco

7 UN MONTÓN DE EXPRESIONES

1. está rebueno = muy bueno; un pelín de sal= un poco de sal
2. supercaprichosos = muy caprichosos; un tanto egoístas = un poco egoístas; un tanto = un poco; la mar de egoístas = muy egoístas
3. un montón de ejercicios = muchos ejercicios; redifíciles = muy difíciles
4. la mar de simpático = muy simpático
5. una barbaridad = mucho; verdaderamente difícil = muy difícil
6. supercómodas = muy cómodas

6. Los pronombres

1 ME LLAMO JORGE

1. (Yo) me llamo Jorge Vilar y soy vuestro profesor de español
2. ¿A qué te dedicas?
   (Yo) trabajo en una tienda de ropa.
3. ¿A qué os dedicáis¿
   Yo tengo una tienda de ropa y él trabaja en un banco.
4. ¿Es usted Rosario Núñez?
5. Te presento a María: (ella) es ingeniera.
6. ¿Quién es Julio Iglesias?
   ¿(Tú) no sabes quién es Julio Iglesias?

2 YO O A MÍ

1. A mí
2. yo
3. A vosotros; Yo
4. Nosotros; a vosotros
5. A ti; Yo
6. A vosotros; Nosotros
7. a ti; yo
8. A ti; yo

3 ESTO ES PARA TI

1. a ti
2. Según
3. de ellos
4. de ti
5. en mí
6. contigo
7. para ti
8. por mí
9. para mí
10. sin mí
11. sobre mí
12. entre tú; yo

4 ME LA DIO MI ABUELA

1. las/te las
2. Se las
3. déjalos
4. lavarme/lavármelas
5. los/nos los
6. lo/ se lo

5 ¿DÓNDE LOS HAS PUESTO?

1. los ha dejado en el armario.
2. la ha dejado en el armario.
3. las ha dejado en la nevera.
4. los ha dejado en el cajón.
5. lo ha dejado en la nevera.
6. los ha dejado en el horno.
7. lo ha dejado en el armario.
8. lo ha dejado en la nevera.
9. las ha dejado en el armario.

6 NO SE LO PERMITAS

1. Este paraguas es de Lourdes. ¿Se lo puedes llevar cuando vayas a su casa? / Este paraguas es de Lourdes ¿Puedes llevárselo cuando vayas a su casa? / Este paraguas es de Lourdes. ¿Lo puedes llevar cuando vayas a su casa? / Este paraguas es de Lourdes ¿Puedes llevarlo cuando vayas a su casa?
2. El médico me ha recetado esta loción. Ha dicho que me la tengo que aplicar en el pelo dos veces al día. / El médico me ha recetado esta loción. Ha dicho que tengo que aplicármela en el pelo dos veces al día. / El médico me ha recetado esta loción. Ha dicho que la tengo que aplicar en el pelo dos veces al día. / El médico me ha recetado esta loción. Ha dicho que tengo que aplicarla en el pelo dos veces al día.
3. ¿Qué hago con estas carpetas? Ni idea... pregunta a Miguel. / ¿Qué hago con estas carpetas? Ni idea... pregúntale a Miguel. / ¿Qué hago con estas carpetas? Ni idea... pregúntaselo a Miguel.
4. ¡La niña quiere hacerse un tatuaje! ¡No lo permitas! / ¡La niña quiere hacerse un tatuaje!

¡No se lo permitas!

5. ¿Puedes responder tú? Yo me estoy afeitando. / ¿Puedes responder tú? Yo estoy afeitándome.

6. No sé si llevarme el ordenador en las vacaciones. ¡No te lo lleves! ¡Te tienes que olvidar del trabajo! / No sé si llevarme el ordenador en las vacaciones. ¡No te lo lleves! ¡Tienes que olvidarte del trabajo!

7. ¿Qué hago? ¿Le cuento a Lucas lo de su novia? Sí, díselo. Creo que lo tiene que saber, ¿no crees? / ¿Qué hago? ¿Le cuento a Lucas lo de su novia? Sí, díselo. Creo que tiene que saberlo, ¿no crees?

8. Y al final, ¿qué pasó con aquella moto que te ibas a comprar?
Mira, me la quería comprar, pero el precio era excesivo... así que sigo buscando. /
Y al final, ¿qué pasó con aquella moto que te ibas a comprar?
Mira, quería comprármela, pero el precio era excesivo... así que sigo buscando. /
Y al final, ¿qué pasó con aquella moto que te ibas a comprar?
Mira, la quería comprar, pero el precio era excesivo... así que sigo buscando. /
Y al final, ¿qué pasó con aquella moto que te ibas a comprar?
Mira, quería comprarla, pero el precio era excesivo... así que sigo buscando.

9. No sé cómo resolver esto: lo he estado analizando toda la tarde, pero no veo una solución. / No sé cómo resolver esto: he estado analizándolo toda la tarde, pero no veo una solución.

10. Y finalmente, ¿le dijiste a Jonás que te ibas de la empresa?
Mañana sin falta se lo voy a decir: no lo quiero retrasar más. /
Y finalmente, ¿le dijiste a Jonás que te ibas de la empresa?
Mañana sin falta se lo voy a decir: no quiero retrasarlo más. /
Y finalmente, ¿le dijiste a Jonás que te ibas de la empresa?
Mañana sin falta voy a decírselo: no lo quiero retrasar más. /
Y finalmente, ¿le dijiste a Jonás que te ibas de la empresa?
Mañana sin falta voy a decírselo: no quiero retrasarlo más.

7. La exclamación

1 PUNTUAR

1. María ha estado en los Alpes
2. ¡Marcial ha dejado los estudios!
3. ¡Macarena tiene más de cuarenta años!
4. Manuel quiere irse a vivir a Sudáfrica.
5. ¡Melania vuelve a vivir con su madre!
6. ¡Quieren llevar a Marcos a un colegio privado!
7. Mis hermanos no saben quién es Mónica.
8. Tienes el regalo de Miguel María.
9. Nuestras madres están preocupadas con Minerva.
10. ¡Mi prima Marta tiene mis raquetas de tenis!

2 REACCIONES PREVISIBLES

1. caro
2. grande
3. bonito
4. delgado
5. alta
6. obra
7. plato

3 NUEVOS EN LA CIUDAD

1,f; 2,d; 3,b; 4,a; 5,c; 6,g; 7,h; 8,e.

4 ¡VAYA COMPAÑERAS DE PISO!

Qué; Qué poco; qué poco; Cuánto; qué; Qué.

8. El infinitivo, el gerundio y sus perífrasis

1 PARES DE VERBOS

1. llorar
2. morir
3. acabar/terminar
4. ganar
5. odiar
6. vender
7. recibir/tomar
8. ignorar
9. deshacer
10. levantarse
11. apagar
12. destapar
13. bajar
14. desmontar

2 NOS GUSTA VIVIR EN EL BARRIO

1. Nos gusta vivir en el barrio.
2. Comer en familia es muy frecuente en la mayoría de las culturas latinas.
3. Saber anatomía es importante para cualquier masajista.
4. El gobiero ha aprobado subir los impuestos a los más ricos.

3 PORRUSALDA

Posible solución:
Poner el bacalao en remojo en agua fría la víspera. Cambiar de cazo y de agua varias veces, para que quede bien desalado. Meter el bacalao desalado en ½ litro de agua fría y separar cuando rompe a hervir. Quitar entonces las espinas y la pies y conservar el agua donde se ha cocido. Aparte, en un cazo, echar el aceite, calentarlo y echar los puerros partidos en trozos, rehogarlos un poco sin que tomen color (unos 5 minutos) y añadir las patatas peladas y cortadas en cuadraditos, y también rehogarlas un poco. Incorporar los 2 litros de agua fría y dejar cocer durante 35 munutos más o menos (según la clase de patatas). Estas deben quedar enteras. Agregar entonces el bacalao con su agua y dejar cocer todo junto otros 10 minutos. Rectificar de sal y servir en sopera.

4 PRACTICANDO, QUE ES GERUNDIO

1. Hablando.
2. Durmiendo.
3. Viviendo.
4. Contándolo.
5. Andando.
6. Huyendo.
7. Escribiendo.
8. Cayéndome.
9. Yendo.
10. Pidiendo.
11. Perdiendo.
12. Leyéndola.

5 EL MOVIMIENTO SE DEMUESTRA ANDANDO

1. hablando; escuchando
2. contando
3. trabajando; cuidando
4. nadando
5. subiendo
6. quejándote
7. descansando
8. tocando
9. comiendo
10. actuando

6 ¿QUÉ HAY QUE HACER?

Solución libre.

7 ACABO DE TERMINAR

1. está a punto de empezar.
2. está a punto de llover. / está a punto de empezar a llover.
3. he acabado/terminado de lavar / acabo de lavar Acaban de llamar
4. Comenzó/Empezó a estudiar
5. estoy a punto de terminarlo
6. Deja de molestar
7. se volvió a casar
8. voy a comezar; para dejar de fumar

8 ¡LLEVO DOS HORAS ESPERÁNDOTE!

1. Llevo dos horas esperándote.
2. Estoy comiendo
3. Sigues yendo
4. ¡Lleva un año viviendo en Dublín! / ¡Lleva viviendo en Dublín un año!
5. estaba viajando
6. sigo trabajando
7. Sigo sin tener
8. Desde hace seis meses busco un piso para alquilar / Estoy buscando un piso para alquilar desde hace seis meses.

9. TODO SIGUE IGUAL

1. Yendo
2. buscando
3. a hablar
4. saliendo
5. que comprar
6. de fumar; a hacer
7. haciendo
8. de pedir
9. de ser
10. que esperar

9. El presente de indicativo

1 SI LO QUIERES HACER, LO HACES

1. vienes.
2. lo traigo.
3. empezáis.
4. volvemos.
5. duermo.
6. sueñan.
7. repite.
8. lo traes.
9. la conocéis.
10. la vemos.
11. me caigo.
12. salen.
13. juega.
14. la recordáis.
15. la encontramos.
16. me pierdo.
17. compiten.
18. sigue.
19. Conduces.
20. lo dais.

2 EL POMBERO

es; lleva; se viste; quieren; tiene; desea; debe; pide; pide; conviene; se acuerda; debe; puede; evitar, adquiere; desordena; pierde; asusta.

3 LA MONJA ALFÉREZ

es; es; escapa; Anda; llega; vuelve; pasa; va; embarca; se alista; lucha; alcanza; ve; es; pide; cuenta; determinan; protege; es; recibe; mantiene; llama; se extiende; visita; es; autoriza.

4 EL VALOR DEL PRESENTE

1. Vienes (F)
2. Juegas (H)
3. selecciona; presiona (AT)
4. descubre; observa (P)
5. hay (F)
6. Estoy (A)
7. prepara (AT)

5 ¿ERES UN BUEN COMPAÑERO DE TRABAJO?

1. coge
a. dices; quieres
b. dices
c. gritas
d. son

2. te das
a. es
b. adviertes
c. comunicas
d. aprovechas

3. habla
a. evitas
b. están
c. cuentas
d. empiezas

4. pide; entiende
a. intentas
b. puedes
c. te excusas
d. tienes

5. cuenta
a. mantienes
b. gusta
c. se va
d. das

6.
a. intentas
c. prefieres
b. hablas
d. puedes
7.
a. sobrellevas
c. te marchas
b. eres
d. te tomas

10. El pretérito perfecto y el pretérito indefinido

1 OTROS PRIMERO

1. estuve
2. vinisteis
3. dijeron
4. pidieron
5. te dormiste
6. supiste
7. roto
8. vuelto
9. puesto
10. dicho
11. quisiste
12. trajeron
13. supuse
14. tuvo
15. hicimos
16. abierto
17. cubierto
18. descrito

2 ¿QUÉ TE HA PASADO?

1. dormido
2. se han roto
3. me he distraído; se ha quemado
4. he hecho; He perdido
5. ha sonado
6. se ha puesto
7. ha pasado
8. ha dicho

4 HE ANDADO MUCHOS CAMINOS

A.
Posible solución: Antonio Machado nació en Sevilla en 1875. En el año 1883 se mudó a Madrid con su familia y allí estudió en a Institución Libre de Enseñanza y en otros institutos madrileños. En 1883 hizo su primer viaje a París y cuando volvió a España frecuentó los ambientes literarios, donde conoció a J. R. Jiménez, R. del Valle-Inclán, M. de Unamuno y Rubén Darío. En 1903 publicó Soledades y en 1907 obtuvo la cátedra de francés del instituto de Soria. En 1909 se casó en Soria con Leonor Izquierdo que murió tres años después, en 1912. Ese año, Antonio Machado pasó al instituto de Baeza y escribió Campos de Castilla. En 1927 fue elegido miembro de la Real Academia y entre 1936 y 1937 escribió textos testimoniales sobre la guerra civil. En 1939, tras la derrota de los republicanos en la Guerra Civil, partió al exilio. El mismo año murió en el pueblecito francés de Colliure.

B.
No conoció a Rubén Darío en los ambientes literarios de España, sino que lo conoció en París.

C.
Posible respuesta: Porque se refiere a cosas sucedidas en un momento no definido del pasado.

5 ¿CUÁNDO?

1. hemos visto; vimos
2. he dormido; dormí
3. hicieron; han hecho
4. ha habido; hubo
5. viviste; has vivido
6. ha escrito; escribió
7. mentí; he mentido
8. he dicho; dije

6 AGENDA

El lunes 3 por la noche dice:
- Me he hecho los análisis en la clínica
- He ido a la tintorería a recoger el abrigo.
- No he ido a pilates.
- He ido al supermercado.

El martes 4 por la noche dice:
- He reservado el hotel y los billetes.
- No he reservado el restaurante para la cena con Orlando.

E miércoles 5 por la noche dice:
- He pagado el alquiles.
- He ido a pilates.
- He ido a la psicóloga.
- No he llamado a Jaime para felicitarle.

El viernes 7 por la mañana dice:
- Ayer retiré el abrigo de la tintorería.
- Ayer retiré los análisis.
- Ayer no fui a comer con mamá.
- Ayer fui a buscar a Luciano al aeropuerto.

11. El pretérito pluscuamperfecto

1 QUISE LLAMARTE, PERO...

A.
1. habían cortado
2. se habían agotado
3. habíamos avisado
4. había comentado
5. había dicho
6. habías estudiado
7. había llegado
8. habíamos llevado
9. había olvidado
10. habían practicado
11. había preparado
12. se había estropeado
13. habíais salido
14. habías traído

B.
1. habían cortado
2. había olvidado
3. habíais salido
4. había llegado
5. se habían agotado
6. había preparado
7. se había estropeado
8. habíamos avisado

2 CUANDO LLEGAMOS AL ESTADIO

1. b,a
2. a,b
3. a,b
4. b,a
5. a,b
6. a,b

3 A LAS 10 AÚN NO HABÍAN LLEGADO

1. A las 10 aún no habían llegado.
2. nuestro vuelo ya se había ido.
3. ya se habían vendido todas las entradas.
4. me había dejado la cartera en casa.
5. habían vendido todos los ejemplares
6. había enviado los correos.
7. me lo había contado.
8. habían estado allí el verano pasado/anterior.
9. había dormido muy mal.
10. había llovido muchísimo.

4 EL HOTEL ESTABA LLENO

A.

1,c (había llegado); 2,j (había llovido); 3,f (se lo había dicho); 4,g (había pasado); 5,b (se habían agotado); 6,a (lo había aparcado); 7,d (había pagado); 8,e (había vivido); 9,h (había tenido); 10,i (había estudiado).

B.

Posible solución:

1. se habían alojado allí todos los asistentes al congreso.
2. se había estropeado el sistema de riego.
3. se había aburrido mucho en la última fiesta.
4. había hecho mucho calor.
5. se había llenado la tarjeta de memoria de la cámara.
6. se le había estropeado.
7. no había declarado nada.
8. había trabajado allí como guía turístico.
9. le había tocado la lotería.
10. no había ido a clase en todo el curso.

5 ¿QUIÉN NO HABÍA LLEGADO?

1. Iba a proponerle a Carla ir a cenar fuera, pero vi que ya había comprado la cena. (ella)
2. Me encontré con Alex el otro día y me preguntó si había roto con Marta ¡hace tres meses que estoy solo y no lo sabía! (yo)
3. El otro día vino Claudia a mi casa porque había perdido el tren y no tenía donde quedarse. (ella)
4. Pensaba que Luis no conocía Sevilla, pero resulta que había ido muchas veces por trabajo. (él)
5. Cuando empezamos a trabajar en la empresa, Juan ya había acabado la carrera, pero yo no. (él)
6. Ayer fue mi cumpleaños y, como sorpresa, Laura había reunido a varios amigos en mi casa. (ella)
7. Le dije a Sandra que había escrito una novela, y que me la publicaron hace un par de años. (yo)
8. Cuando vino a mi casa, Antonio me dijo que había aparcado mal el coche y que no quería que lo multaran. Por eso se fue pronto. (él)

12. Los tiempos del pasado en la narración

1 YA NO

1. Estaba
2. Lo parecías
3. Vivían
4. Compartían
5. Íbamos
6. Fumábamos
7. Lo vendíamos
8. Las dábamos
9. Estudiaban
10. Tenía

2 SÍ, PERO

1. pero al verme se quedó un rato más. (se iba)
   solo me dio tiempo a decirle adios. (se fue)
2. pero no se nos ocurrio nada. (Queríamos)
   y le regalamos un cerdito. (Quisimos)
3. pero pasó un milagro y se recuperó. (se moría)
   y lo enterraron. (se murió)
4. por eso no salí de casa el domingo. (Tuve)
   pero me fui de fiesta y no lo terminé. (Tenía)
5. por eso pidió una manta a la azafata. (Tenía)
   y llegó a casa con un catarro horrible. (Tuvo)

3 EL REY DE LA PATAGONIA

Posible solución:

Orelie Antoine de Tounens, un abogado francés influenciado por los relatos de aventureros y naturalistas que recorrían las tierras del Sur, llegó a Chile en agosto de 1858, en la época de la gran expansión colonial de Europa. En esta época los jóvenes estados de Argentina y Chile intentaban extender sus dominios hasta el extremo sur. Cuando llegó, Orelie Antoine se puso en contacto con miembros de la masonería local, que financiaron su viaje al sur del país. Estas tierras estaban en manos de los pueblos indígenas, por ello, Orelie Antoine viajaba en compañía de un mestizo, Yanquetruz, que le servía de intérprete...

Cuando llegó a la Araucaría hizo una alianza con el cacique Mañil, uno de los más poderosos de la región, puesto que Mañil odiaba al estado chileno, contra el cual lleva años combatiendo... Más tarde un grupo de mercaderes sin escrúpulos se unió también a la expedición. Los mercaderes conocían bien la tierra de los araucanos, con los cuales intercambiaban alcohol por cueros y pieles.

A la muerte de Mañil, su hijo Quilapán apoyó al francés y este se proclamó Rey de la Araucaría y la Patagonia y dictó una serie de decretos que estaban inspirados en la constitución francesa. Tres días más tarde anexionó a su reino la Patagonia argentina y comenzó un periplo en busca de nuevas adhesiones, pero uno de sus seguidores lo delató y fue detenido en enero de 1862 por la policía chilena por perturbar del orden público. Fue sometido a exámenes psiquiátricos y luego fue encerrado en una celda, donde permaneció nueve meses, durante los que siguió sosteniendo ser el rey legítimo de la Araucaría. Finalmente la diplomacia francesa consiguió sacarlo de la cárcel y llevarlo de regreso a Francia.

4 CUANDO ERA NIÑO...

A.
1. El verano pasado
2. Años atrás
3. Cuando eran novios
4. Esta tarde en el trabajo
5. Cuando vivía en Montevideo

5 HISTORIAS ANTIGUAS

dominaron; suplicaron; entregaron; convirtieron/convertían; opusieron; pensaban; hicieron; parecieron/parecían; llevaron; volvieron; dijo; debían; estaban; fue; estaban; recogió; guardó; añadieron; recobraron; vencieron; huyeron; molestaron; ha extendido.

Cuenta una vieja leyenda andina que los pueblos cultivadores de la quinoa **dominaron** durante muchos años a las tribus de las tierras altas y que, para hacerlos morir de hambre, les fueron disminuyendo gradualmente la ración de alimentos.

Cuando estaban al borde de la muerte, los pobres **suplicaron** a los dioses, y estos les **entregaron** unas semillas extrañas que –una vez sembradas- se **convirtieron/convertían** en unas plantas de flores moradas. Los dominadores no se **opusieron** a ese cultivo, porque **pensaban** quedarse con toda la primera cosecha... y así lo **hicieron**: cuando los frutos **parecieron/parecían** maduros, se lo **llevaron** todo.

Entonces las tribus de las tierras altas **volvieron** a pedir ayuda al cielo y una voz desde lo alto les **dijo** que **debían** remover la tierra, que los verdaderos frutos **estaban** escondidos allí. Y así **fue**: debajo del suelo **estaban** las patatas, que la gente de la Puna **recogió** y **guardó** en el mayor de los secretos. Los puneños **añadieron** a su pobre dieta una ración de patatas y pronto **recobraron** sus fuerzas y **vencieron** a los invasores, que **huyeron** y nunca más **molestaron** a los puneños. Desde entonces, la papa o patata es la base de la alimentación de los pueblos andinos, y tras la llegada de los europeos a América su cultivo se **ha extendido** a lo ancho del planeta.

13. El futuro imperfecto

1 ¿VENDRÁS A LA FIESTA?

A.
1. vendrás
2. saldréis
3. aprenderán
4. entenderá
5. querrán
6. me quedaré
7. tendrá
8. será
9. haré
10. escribiré
11. dirán
12. cabremos
13. se casarán

B.
1. cabremos
2. me quedaré
3. entenderá
4. saldréis
5. querrán
6. dirán
7. será

2 LOS ARIES PASARÁN POR UN BUEN MOMENTO

A.
será; deberás; será; sufrirás; verán; harás; Empezarás; sentirás; será; podrás/podrán/podréis; viajarán/viajaréis; será; obtendrás; ayudará.

3 ¿QUÉ VAN A HACER ESTAS VACACIONES?

A.
Posible solución:
1. Margarita va a jugar al tenis.
2. Fernando va a leer mucho.
3. Kike va a montar en bicicleta.
4. Zoraida va a hacer fotos.
5. Lola va a estudiar.
6. Andoni va a bucear.
7. Laia va a tocar la guitarra.
8. Toño va a ir a la playa.

1. Margarita jugará al tenis.
2. Fernando leerá mucho.
3. Kike montará en bicicleta.
4. Zoraida hará fotos.
5. Lola estudiará.
6. Andoni buceará.
7. Laia tocará la guitarra.
8. Toño irá a la playa.

4 ¿ESTARÁ ENFERMA?

1. (Hace una pregunta retórica, no espera respuesta)
2. (Espera respuesta)
3. (No lo ve)
4. (Lo ve desde la ventana)
5. me avisaron ayer.

6. tienen la música altísima.
7. o algo así.
8. en una gasolinera de aquí cerca.
9. más o menos.
10. me lo dijo ayer.

5 ESTARÁ ENFERMO...

A.
1; 4; 5; 6; 8; 9; 10.

B.
Posible solución:
(Frase 2) ¿Cuántos años debe de tener el marido de Sofía?
(Frase 3) Hace una semana que no viene al bar. Quizá esté enfermo...
(Frase 7) Romina aún no ha llegado...
¡Qué raro! Es probable que esté en medio de un atasco, ¿no?

14. El condicional simple

1 LLAMARÍAS NO ES LLAMARÁS

1,a; 2,b; 3,d; 4,c; 5,f; 6,e; 7,g; 8,h; 9,j; 10,i.

2 DESEOS, SUGERENCIAS Y PETICIONES

A

1. haría
2. deberíais
3. pintaríais
4. escribiría
5. llevarías
6. haría
7. me iría
8. producirían
9. me bebería
10. dirías
11. sabríamos
12. sería
13. tendría
14. trabajarían
15. me comería

B

1. Me comería
2. haría
3. Me iría
4. dirías
5. llevarías
6. pintaríais
7. Me bebería
8. sería

3 SERÍA TU HERMANA, ¿NO?

1. la conozco desde niña.
2. se parecía a él, ¿no?
3. mirando por la ventana.
4. no me estabas escuchando.
5. o en casa de su madre, allí no hay cobertura.
6. pero ella llamó después.
7. me fijé en que llegaba a la hora exacta.
8. no puedo decir la hora exacta.
9. uno para cada estación del año.
10. o algo así.

4 ESOS MODALES...

1. Ya que vas a la cocina, ¿me traerías un vaso de agua?
2. Deberías comenzar una dieta.
3. ¿Me ayudaríais con la mudanza?
4. ¿Podríais hablar más bajo? Estoy estudiando.
5. ¿Mañana me llamarías a las ocho? Mi despertador no funciona.
6. Habría que hablar con el director ya.
7. Necesitaría el piso para el sábado: viene mi novio a cenar.
8. ¿Has acabado? ¿podría comerme tus patatas fritas?
9. ¿Te importaría cerrar la puerta? Entra frío.
10. Querría ver esos zapatos del escaparate.
11. Querría hablar contigo... me va bien hoy a las 8 de la tarde. / Quiero hablar contigo... me iría bien hoy a las 8 de la tarde. /Querría hablar contigo... me iría bien hoy a las 8 de la tarde.

5 ¿QUIÉN NECESITARÍA UNAS VACACIONES?

A
1, usted; 2, él; 3, yo; 4, ella; 5, yo; 6, usted; 7, él.

B
1,b; 2,d; 3,f; 4,a; 5,c; 6,e; 7,g.

15. El presente de subjuntivo

1 PARES DE ADJETIVOS

A.
1. perdone; perdones; perdone; perdonemos; perdonéis; perdonen.
2. tiemble; tiembles; tiemble; temblemos; tembléis; tiemblen.
3. alargue; alargues; alargue; alarguemos; alarguéis; alarguen.
4. abanique; abaniques; abanique; abaniquemos; abaniquéis; abaniquen.
5. rompa; rompas; rompa; ; rompamos; rompáis; rompan.
6. tuerza; tuerzas; tuerza; ; torzamos; torzáis; tuerzan.
7. parta; partas; parta; partamos; partáis; partan.
8. mienta; mientas; mienta; mintamos; mintáis; mientan.
9. conduzca; conduzcas; conduzca; conduzcamos; conduzcáis; conduzcan.
10. tenga; tengas; tenga; tengamos; tengáis; tengan.

B.
1. Bailar: baile; bailes; baile; bailemos; bailéis; bailen.
2. Regar: riegue; riegues; riegue; reguemos; reguéis; rieguen.
3. Soler: suela; suelas; suela; solamos; soláis; suelan.
4. Pedir: pida; pidas; pida; pidamos; pidáis; pidan.
5. Reducir: reduzca; reduzcas; reduzca; reduzcamos; reduzcáis; reduzcan.

2 OJALÁ LLEGUE

A.

1. llegue
2. acepten
3. quieran
4. me vista
5. os vayáis
6. hagamos
7. tenga
8. sea
9. me peine
10. escriba
11. digan
12. haya
13. duerman

B.

1. sea
2. llegue
3. haya
4. acepten
5. hagamos
6. me vista
7. os vayáis
8. escriba

3 ESPERO QUE APRUEBES

A.

1. Tu madre espera que acabes la carrera de medicina. (tú)
   Tu madre espera tener pronto un médico en casa. (ella)
2. Quiero llegar a tiempo a la cita. (yo)
   Quiero que la cita tenga lugar a la hora prevista. (ella)
3. Desean tener hijos pronto. (ellos/ellas/ustedes)
   Desean que los hijos lleguen pronto. (ellos)
4. Ha pedido que lo ingresen en un hospital. (ellos/ellas/ustedes)
   Ha pedido ingresar en un hospital. (él)
5. Quiere oír tus disculpas. (él)
   Quiere que te disculpes ante él. (tú)
6. Preferimos que lo hagáis solos. (vosotros)
   Preferimos dejaros hacerlo solos. (nosotros)

B.

1. entenderlo
2. tener
3. hacerle
4. ser
5. obtener/conseguir
6. tener

4 VERA, DAMIÁN Y QUIQUE

A.

1. Quizás lo vote, no lo sé...
2. Tal vez vaya, no lo sé...
3. Puede que se lo cuente, no lo sé...
4. Es posible que los deje ir, no lo sé...
5. No creo que pueda, no lo sé...
6. No es probable lo esté, no lo sé.../No es probable que lo esté, no lo sé...
7. ¿Sí? No pienso que nos vaya a perdonar , no lo sé/ ¿Sí? No creo que nos perdone, no lo sé...

B.

1. este país se convierta.
2. podamos ir de vacaciones a la Luna.
3. (los niños de hoy) sean más inteligentes que los de antes.
4. (Juliana y Sebastián finalmente) se casen.
5. (el profesor) te tenga manía.
6. (el Gobierno) esté cometiendo errores.
7. (para el 2050) ya no haya niños con hambre en el mundo.

5 ¿QUIÉN VIENE?

1,a; 2,b; 3,d; 4,c; 5,e; 6,f; 7,h; 8,g; 9,i; 10,j; 11,k; 12,l.

6 A FAVOR Y EN CONTRA

A.

1. Luisa es antitaurina, no le parece bien que haya corridas de toros.
   Laura es taurina, le parece muy bien que haya corridas de toros.
2. Leonardo es pronuclear. Cree que es lógico que haya centrales eléctricas.
   Luis es antinuclear. Piensa que no es lógico que haya centrales eléctricas.
3. Laia es pacifista. Cree que no está bien que haya ejércitos.
   Lea es más belicista. Cree que es normal que haya ejércitos.
4. Lamberto está a favor. Cree que es necesario que se experimente con animales.
   Leocadio está en contra. Cree que es cruel que se experimente con animales.
5. Lupercio está a favor. Le parece bien que se lleve uniforme en las escuelas.
   Lolo está en contra. No le parece bien que se lleve uniforme en las escuelas.

7 PUNTOS DE VISTA

1. (recibir) Le encanta recibir invitaciones.
   (enviar) Le encanta que le envíen invitaciones.
2. (tener) Le agobia tener muchos deberes.
   (poner) Le agobia que le pongan muchos deberes.
3. (vestir) Les parece muy gracioso vestir a la niña de flamenca.
   (ir vestida) Les parece muy gracioso que la niña vaya vestida de flamenca.
4. (viajar) Nos resulta muy cansado viajar en coche desde Burgos hasta Madrid.
   (traer) Nos resulta muy cansado que nos traigan en coche desde Burgos hasta Madrid.
5. (hacer) Me parece inadecuado que Flora me haga regalos personales.
   (recibir) Me parece inadecuado recibir regalos personales.
6. (comprar) Nos preocupa que un único cliente nos compre el 90% de la producción.
   (vender) Nos preocupa vender a un único cliente el 90% de la producción.
7. (llamar) Le extraña que su mujer no le ha llamado en todo el día.
   (recibir llamadas) Le extraña no recibir llamadas de su mujer en todo el día.

8 ¿QUÉ DICE?

A.

1. Dice que me visto a la moda.
2. Dice que me vista a la moda.
3. Dice que soy muy sociable.
4. Dice que sea un poco más sociable.

5. Dice que les cuente alguno de mis chistes.
6. Dice que cuento muy buenos chistes.
7. Dice que pronuncio muy bien las vocales.
8. Dice que pronuncie mejor las vocales.
9. Dice que como demasiadas grasas.
10. Dice que coma más verduras y frutas.
11. Dice que le diga lo que me ha pasado.
12. Dice que siempre sigo lo mismo.

B.
1. Tienes mucha paciencia.
2. Ven cada día.
3. Compra menos pan.
4. Llega muy temprano.
5. Eres más transigente.
6. Anda con la espalda muy recta.

9 CUANDO DEJE DE LLOVER

1. a, deja; b, deje
2. a, llegue; b, llego
3. a, cobro; b, cobre
4. a, lean; b, leen
5. a, escuches; b, escucha
6. a, entra; b, entre
7. a, vayas; b, vas

10 PARA ENTRAR EN CALOR

1. toque
2. estén
3. pueda
4. hagas
5. prediga
6. entiendas
7. duela
8. compre
9. regales
10. probemos

16. El imperativo

1 SAL DE CASA

A.
1. turismo en una ciudad
2. un tren de lujo
3. un chicle
4. un coche
5. unos cereales para el desayuno
6. una ONG de protección a la infancia
7. una cerveza sin alcohol
8. un gimnasio
9. un colchón
10. turismo en el Amazonas
11. una harina
12. una marca de ropa

B.
1. ¡Venga a Cartagena!
2. Vuelva a sentir el placer de viajar.
3. Sienta el frescor de la menta en su boca.
4. Conduzca una máquina perfecta.

5. Salga de casa lleno de energía.
6. Ponga una sonrisa en la cara de un niño.
7. Beba sin precaución.
8. Ame su cuerpo.
9. Duerma como los ángeles.
10. Sienta la llamada de la selva.
11. Haga un bizcocho como el de la abuela.
12. Sea usted mismo, vístase como quiera.

2 VEN, VENGA, VENID, VENGAN

1. usted
2. usted
3. tú
4. vosotros
5. vosotros
6. tú
7. ustedes
8. usted
9. tú
10. vosotros

3 DÍSELO

1. Quiere que le diga todo el tiempo que la quiero.
Pues díselo.
No se lo digas.
2. Quiere que la llame todas las noches.
Pues llámale.
No le llames.
3. Quiere que me deje el pelo largo.
Pues déjatelo.
No te lo dejes.
4. Quiere que le escriba cartas de amor.
Pues escríbeselas.
No se las escribas.
5. Quiere que deje el tabaco.
Pues déjalo.
No lo dejes.
6. Quiere que le compre una consola de videojuegos.
Pues cómprasela.
No se la compres.
7. Quiere que invite a su madre a mis fiestas.
Pues invítala.
No la invites.
8. Quiere que nos casemos.
Pues casaos.
No os caséis.

4 SIÉNTESE

A.
3; 1; 5; 2; 4.

B.
1. Mire, rellene el formulario y entréguelo en el departamento de altas, en la segunda planta.
2. No se olvide su libro, lo tiene sobre esta mesa.
3. García, reserva un restaurante para la cena de empresa de mañana.
4. ¡Venid a ver esto! ¡Sale nuestro profesor en la tele!
5. Después de cortar el pescado, metedlo en el horno durante 20 minutos.
6. Ven a cenar a casa esta noche, he comprado una carne buenísima.

7. ¡Señoras y señores, bienvenidos a nuestro circo, prepárense para una noche inolvidable!

8. Tómese estas pastillas dos veces al día y vuelva la semana que viene para otra revisión.

9. Friega los platos rápido, que tenemos que irnos ya.

10. Completad el ejercicio y luego comparadlo con un compañero.

5 DEME OTRA OPORTUNIDAD

Posible solución:

Señor Domínguez:
Soy Yannis Pavlópoulos, el estudiante de intercambio del cursoo de Literatura I. Le escribo porque acabo de ver mis calificaciones del semestre. Seguramente usted se haya equivocado y no haya entendido bien mi letra: recuerde que mi alfabeto es diferente... ¿Podría volver a leer el examen y calificarlo nuevamente? Si pudiera tener en cuenta todo el curso, vería que he sido un buen estudiante todo el curso. ¿Podría revisar mis exámenes y ponerme otra nota? Si pudiera volver a leer mi análisis del Libro de buen amor... Si no, le ruego que me de otra oportunidad para examinarme otra vez. Despues de corregir las calificaciones, ¿podría escribir un informe para la universidad? Tendría que presentarlo a mi regreso a Salónica.
Puede responderme a esta misma dirección.
Un cordial saludo.
Pavlópoulos, Yannis.

6 CONECTE LA CAFETERA A LA CORRIENTE

A.

1. Lave y seque bien el depósito de agua y el filtro del café.

2. Llene el depósito con agua fresca del grifo.

3. Conecte la cafetera a la corriente, enciéndala y espere hasta que se apague la luz indicadora roja.

4. Ponga en el filtro una medida de café molido.

5. Coloque el filtro con el café y gírelo a la derecha hasta que haga clic.

6. Coloque la taza debajo del filtro.

7. Gire el mando frontal hasta la posición 1.

8. Cuando el café está listo, vuelva a poner el mando frontal a la posición 0

9. Apague la cafetera.

10. Retire el filtro, vacíelo y lávelo.

B.

1. Lava y seca bien el depósito de agua y el filtro del café.

2. Llena el depósito con agua fresca del grifo.

3. Conecta la cafetera a la corriente, enciéndela y espera hasta que se apague la luz indicadora roja.

4. Pon en el filtro una medida de café molido.

5. Coloca el filtro con el café y gíralo a la derecha hasta que haga clic.

6. Coloca la taza debajo del filtro.

7. Gira el mando frontal hasta la posición 1.

8. Cuando el café está listo, vuelve a poner el mando frontal a la posición 0.

9. Apagua la cafetera.

10. Retira el filtro, vacíalo y lávalo.

7 PASA, PASA

1. pase, pase

2. bájalo, bájalo

3. llévatelo, llévatelo

4. póntelo, póntelo

5. ábrala, ábrala

6. póngalo, póngalo

7. Pregunta, pregunta

17. Los conectores

1 COMO, PORQUE, POR ESO, ASÍ QUE...

1. No tenía dinero (CA), por eso volví a casa caminando. (CO)

2. Como hacía bastante frío en casa (CA) encendí la calefacción. (CO)

3. Tuvo un accidente con la moto (CA), de modo que pasó una semana en el hospital. (CO)

4. La otra noche salí hasta las tres (CO) porque no había clase al día siguiente. (CA)

5. Susi dejó la sartén en el fuego mientras hablaba por teléfono (CA), por eso se quemó la comida. (CO)

6. Luisa y Fran se han ido a vivir a un piso más pequeño (CA), así que han tenido que regalar algunos muebles. (CO)

7. Cuando volví a casa me apunté a un gimnasio (CO) porque durante las vacaciones había engordado 3 kilos. do. (CO)

8. Como aún tenía una semana de vacaciones (CA) se quedó unos días más en Ibiza sin hacer nada. (CO)

2 COMO, PORQUE

A.
1(CO), a(CA); 2(CO), d(CA); 3(CA), f(CO); 4(CA), c(CO); 5(CA), b(CO); 6(CA), e(CO).

B.

a. Como no queríamos despertar a nadie, entramos en casa sin hacer ruido.
Entramos en casa sin hacer ruido porque no queríamos despertar a nadie.

b. Como había ofertas especiales en todos los aparatos de electrónica, compramos un televisor, un ordenador y una impresora.
Compramos un televisor, un ordenador y una impresora porque había ofertas especiales en todos los aparatos de electrónica.

c. Como la comida estaba buenísima, felicitamos al cocinero.
Felicitamos al cocinero porque la comida estaba buenísima.

d. Como ninguno de nosotros tenía reloj, no sabíamos qué hora era.

No sabíamos qué hora era porque ninguno de nosotros tenía reloj.

e. Como les encanta el mar, se han comprado un apartamento en la playa.
Se han comprado un apartamento en la playa porque les encanta el mar.

f. Como la habitación da a una calle muy ruidosa, no se puede dormir bien.
No se puede dormir bien porque la habitación da a una calle muy ruidosa.

3 PORQUE, ES QUE

1. es que
2. porque
3. es que
4. porque
5. Es que
6. Es que
7. Es que
8. Es que

4 AUNQUE HACÍA FRÍO...

1. Anoche dormí terriblemente mal, por eso estoy muy cansado.
2. Anoche dormí fantásticamente bien, pero estoy muy cansado.
3. Aunque hacía frío, siempre iba en camiseta de manga corta.
4. Como hacía frío, siempre iba con abrigo.
5. Aunque su familia tiene mucho dinero pero prefiero no salir con ella.
6. Como su familia tiene mucho dinero por eso prefiero no salir con ella.
7. Aunque tiene mucho sentido del humor, esas bromas no le hacen gracia.
8. Como tiene mucho sentido del humor, esas bromas le encantan.
9. He pasado un verano genial, aunque he tenido que trabajar bastante.
10. Este verano me han dejado solo por eso he tenido que trabajar bastante en la oficina.

5 PERO O SINO

A.
a. 1, sino; 2, pero
b. 1, pero; 2, sino
c. 1, sino; 2, pero
d. 1, sino; 2, pero

B.
1. No se casaron en Buenos Aires sino en Bariloche.
2. No van a cenar merluza hoy sino mañana.
3. Marta ya no trabaja en la empresa sino que está en paro.
4. La novia de Lolo no se llama Esther sino Sandra.
5. Óscar no estudia alemán sino italiano.
6. La camiseta no cuesta 4o euros sino 30.

6 POR ANITA, PARA ANITA

1. por; para
2. por; para
3. para; por
4. para; por
5. para; por

7 ¿POR QUÉ LO HACE?

A.
1,a; 2,b; 3,c; 4,d; 5,f; 6,e; 7,h; 8,g; 9,i; 10,j.

B.
1. para que; venga
2. porque no; funciona
3. porque; invita
4. para que; le den
5. porque; le llama
6. para que; le dejemos

8 CONDICIONES

Posible solución:
1. Si llegas tarde no puedes entrar.
2. Si tienes tarjeta de fidelidad oro y diamante puedes embarcar cuando quieras.
3. Si tienes menos de doce años no puedes ir a esta atracción.
4. Si compras dos productos de la marca Don Pimpón te sale uno gratis.
5. Si llegas antes de las 12 de la noche puedes entrar gratis.
6. Si eres ajeno a la obra no puedes entrar.

9 SI Y CUANDO

1. Si
2. Si
3. Cuando
4. Si
5. si
6. Si
7. cuando
8. Si

18. Ser y estar

1 ESTAMOS CONTENTOS

1. está; está; estar
2. eres; estoy; estoy
3. está
4. está; es
5. estaba; está
6. es; Es
7. Está

2 ESTÁ MUY RARO

1,b; 2,a; 3,c; 4,d; 5,f; 6,e; 7,h; 8,g; 9,i; 10,j; 11,k; 12,l; 13,n; 14,m.

3 MECANO

1. Hoy es Ø 7 de enero.
2. El jueves es Ø de enero.
3. Hoy estamos a 7 de enero.

4. Es 30 de marzo, en Europa es primavera.
5. Es 30 de octubre, en Europa es otoño.
6. Es 30 de marzo, en Europa estamos en primavera.
7. Es 30 de octubre, en Europa estamos en otoño.
8. ¿No estamos en el año 2011?

4 ÉRAMOS COMPAÑEROS DE FACULTAD

A.
Era; estuve; era/es; había estado; era; estaba; era; estaba; estaba; Estuvimos; Estuve; estoy; es; es; está/estará; Estamos.

5 SI HOY ES MARTE, ESTAMOS EN TOLEDO

1. es; En; es; en
2. en; son; en; son
3. es; a; es; a
4. está; en
5. es; a; estar; en
6. estuvimos; en; es; está; en
7. Es; estamos; a
8. es; Es

19. El estilo indirecto

1 ¡ESE VOLUMEN!

A.
1. Dice que hay mucha gente. Que necesita aire y (que) va al balcón.
2. Dice que Blas le ha llamado esta mañana para invitarle.
3. Dice que ayer estuvo con Flora y (que) le dio recuerdos.
4. Dice que le encanta ese cuadro de ahí, que es precioso.
5. Dice que el día de su cumpleaños hará una fiesta como esta.
6. Dice que le gustaría tener un piso como este. Que es perfecto para hacer fiestas.

B.
1. Dijo que había mucha gente. Que necesitaba aire y (que) iba al balcón.
2. Dijo que Blas le había llamado esa/aquella semana para invitarle.
3. Dijo que el día anterior había estado con Flora y (que) le había dado recuerdos.
4. Dijo que le encantaba ese/aquel cuadro de allí, que era precioso.
5. Dijo que el día de su cumpleaños haría una fiesta como esa/aquella.
6. Dijo que le gustaría tener un piso como ese/aquel. Que era perfecto para hacer fiestas.

2 ESPIONAJE

A.
1. A las 10.30 habló con un tal Gerardo y le preguntó si había conseguido encontrar sus notas.

2. A las 10.13 habló con un/una tal Martínez y le preguntó cuándo le iba a llevar el prototipo.
3. A las 10.25 habló con una tal Lourdes y le preguntó si podría ir esa/aquella tarde.
4. A las 10.35 habló con una tal señora Puig y le pregunto (que) cuándo pensaba volver a visitarlos.
5. A las 10.55 habló con un tal Paco y le preguntó si sus hijos iban a ir al campamento de verano del Ayuntamiento.
6. A las 11.05 habl'o con una tal Flora y le dijo/confirmo que esa tarde tendrían los resultados del test y decidirían si continuaban con el proyecto o no.
7. A las 11.23 habló con un tal Antonio y le dijo que el día anterior había estado con sus abogados y (que) le habían contado que había ganado el juicio.

3 MIENTRAS USTED ESTABA REUNIDA...

Posible solución:
1. Su hija dice que mañana van de excursión y que tiene que llevarse comida, dice que se acuerde de comprar una fiambrera pequeña, que se ha perdido la tapa de la que tenían. Y que no hay fruta en casa.
2. Rafael dice que no podrá llevar a Ceci a clase de piano porque tiene que quedarse hasta tarde en la empresa. Dice que, por favor, la lleve usted. Y que no le esperen para la cena. Maite dice que si tiene tiempo para tomar algo después del trabajo y que ella sale a las 18 h.
3. Ha escrito Federico Yáñez Leñador, del Despacho Notarial. Dice que necesitan que les firme una autorización para proceder a la operación inmobiliaria referida a los locales de la calle Ibarra. Dice que se comunique con ellos urgentemente para fijar una cita esta semana.
4. El Dr. Ramírez dice que acaban de recibir los resultados de sus análisis y dice que si pasa usted a retirarlos o que si prefiere que se los envíen a casa.
5. Graciela Ibarguren, de la sección de reservas del Hotel Libertador le confirma la disponibilidad de una habitación doble en su hotel. Dice que les haga llegar en las próximas 48 h los datos de su tarjeta de crédito para hacer efectiva la reserva.
6. Olga, la profesora de piano de Cecilia, dice que está con gripe y que tiene que cancelar las clases de esta semana.
7. Alfonso dice que necesita hablar con usted, que su madre le está volviendo loco y que le llame.
8. El Banco del Norte le recuerda el vencimiento de su seguro médico el próximo 30 de marzo.

4 LECTORES EXIGENTES Y EXIGENTES LECTORES

Posible solución:
1. Manolo ha invitado a Pedro a una fiesta que da el sábaado en su casa por su cumpleaños.
2. Lolo ha admitido que fue él quien rompió la impresora.
3. Laila ha felicitado a Maribel por su ascenso y le ha dicho que se alegra de ello.
4. Pedro le ha insistido a Pablo para que vaya a la despedida de Jimena.

5. Luoe se ha disculpado con el señor Fernández por haberle manchado el traje.
6. Laila a agradecido a Maribel que la ayudara a traducir el correo.
7. Moisés ha regañado a Arturo por no guardar la leche en la nevera.
8. Mario ha puesto excusas a Elena para no ayudarla.
9. Juan ha dado la razón a Maite porque el camino que ella decía era el más corto.

5 DEJE SU MENSAJE DESPUÉS DE LA SEÑAL

Posible solución:
1. Ángel te pide que lo ayudes a reparar su ordenador, que está como muerto.
2. Felipe te pide disculpas por lo que dijo el otro día. Dice que te volverá a llamar.
3. Marcos te pide que le dejes tu chaqueta de lanilla gris para ir a cenar a casa de los padres de su novia. Dice que le llames, que estará en casa.
4. Celia dice que la llames, que tiene muchas ganas de volver a verte.
5. Tu madre dice que pasado mañana viene a la ciudad y que quiere quedarse en casa. Dice que la llames.
6. Cristina dice que estará en la ciudad el miércoles y el jueves y que podríais cenar juntos el miércoles. Dice que la llames después de las 7.

20. Las construcciones pasivas e impersonales

1 NOTICIAS

Posible solución:
1. La ley antitabaco fue aprobada ayer por el Congreso.
2. La sospechosa fue vista saliendo de la discoteca por un vecino de la localidad.
3. Dos artefactos explosivos fueron desactivados por la policía en las cercanías de la estación.
4. Dos montañistas desaparecidos el domingo pasado fueron localizados por el equipo de salvamento.
5. Dos casas de la localidad de Berceo fueron destruidas por las llamas.
6. Más de cien conductores fueron detenidos la noche pasada por la policía de tráfico.

2 LA MEZQUITA DE CÓRDOBA

A.
Al caer Córdoba bajo dominio árabe, la basílica de San Vicente, que era el templo cristiano más importante de la ciudad, fue en parte destruida para construir en su lugar una mezquita. La construcción fue iniciada sobre los restos de la iglesia cristiana bajo el reinado de Abderramán I, entre el 780 y el 785. La mezquita fue ampliada varias veces en los siglos IX y X y las obras fueron concluidas bajo Almanzor.
La más importante de estas ampliaciones fue realizada bajo el gobierno de Alhakén II: las columnas y los arcos del templo cristiano eran demasiado bajos para un espacio tan grande y el arquitecto decidió colocar nuevas columnas sobre las columnas ya existentes y arcos más altos, pero sin eliminar los antiguos. Los arcos inferiores y superiores fueron pintados en rojo y blanco y son hoy en día la imagen más conocida de la mezquita de Córdoba.
La mezquita, junto al centro histórico de Córdoba, fue declarada patrimonio mundial por la Unesco.

3 ¿YA ESTÁN GUARDADAS?

1. Sí, señora, ya están guardadas.
2. Sí, señora, ya están planchados.
3. Sí, señora, ya está cortado.
4. Sí, señora, ya está doblada.
5. Sí, señora, ya está encerado.
6. Sí, señora, ya está preparada.
7. Sí, señora, ya está arreglada.
8. Sí, señora, ya están compradas.
9. Sí, señora, ya están hechas.

4 COMENTARIOS

1. Por lo visto han subastado algunas fotografías inéditas de Marilyn.
2. Por lo visto han encontrado restos de un dinosaurio en las cercanías de Toledo.
3. Por lo visto han confiscado un cargamento de animales protegidos en el puerto de Barcelona.
4. Por lo visto han atracado el Banco Central y se han llevado joyas y otros objetos por un valor de más de 10 millones de euros.
5. Por lo visto mañana inaugurarán la exposición de Matisse en el Centro de Arte Reina Sofía.
6. Por lo visto han localizado al niño que se fugó de su casa hace dos días.

5 SE COME DE UNA A TRES

A.

1. falsa	5. verdadera
2. falsa	6. falsa
3. falsa	7. verdadera
4. verdadera	8. falsa